Ritmos

volume 1

beginning Spanish language and culture
second edition

live oak multimedia

created by:
Lee Forester and David Antoniuk

research, writing, and production by:
Lee Forester
David Antoniuk
Daniel Woolsey
Christina Casarez-Heyda
Jacob Douma

photography by:
David Antoniuk

distributor:
evia learning

Book to be used in conjunction with companion website.
Access can be purchased at: **www.los-ritmos.com**

Ritmos volume 1

Copyright © 2012, 2017 by Live Oak Multimedia, Inc.

Published by:
Live Oak Multimedia, Inc.
PO BOX 21566
SARASOTA, FL 34276

Distributed by:
Evia Learning, Inc.
www.evialearning.com

ISBN 978-1-886553-61-3

Photographs copyright © 2012, 2017 by David Antoniuk.

Printed in China

9 8 7 6 5 4 3 2 1

Special thanks to those who've contributed with texts, comments, testing, and encouragement:

María Claudia André
Renata Fernández Domínguez
Dwight Ten Huisen

Ion Agheana
Carolina Alba Merlo
Rosi Amador
David Artime
Joan Bishop
Christina Blanco
Julianne Bryant
Jesusa Casarez
John Casarez
Óscar Ceballos
Carolina Cisneros Rodriguez
Anne Curtis
Eddy M. Enríquez Arana
Maritheresa F. Frain

Jill Gabrielsen-Forester
Rodrigo de Grau Amaya
Lynne Guitar
María del Rosario Gunderson-Mejorada
Tatevik Gyulamiryan
Laura Hacker Pike
Michael Heyda
Leonel Heyda
Ramses Jimenez
Emily Lopez
Olga Merino
Quynh Phan
Jaime Ramirez
Karen Rodriguez
Gerardo Ruffino
David Tillett
Lisa Woolsey

Unit 1 Saludos

Table of contents

Unit 2 Amigos y familia

Unit 3 Modo de vivir

Unit 4 En la calle

Unit 5 México

An introduction to *Ritmos*

Welcome to *Ritmos!* We are excited to have you with us!

Ritmos has two overarching goals: **cultural proficiency** and **language proficiency.** We hold both goals as equally important for foreign language courses. We hope students finish this first year with a basic proficiency in Spanish, but we also hope they come away with a working knowledge of the Spanish-speaking world, able to connect on a personal level with native speakers (even if it be in English!).

Ritmos is a **content-based curriculum**, meaning that cultural topics are the organizing factor of the course sequence. Language instruction serves the purpose of equipping students with the linguistic tools necessary to interact around cultural topics; grammar is not the focus of the course. Cultural topics begin with the individual and what is immediate to students (family and friends, student life and pastimes), moving outward to the community and city (restaurants and night life, work and health) and to the nation and world (celebrations and stereotypes, traveling at home and abroad). Students will be asked to share opinions and experiences, write reactions and essays, do all sorts of language tasks, but always around specific cultural content.

Where does this cultural content come from? **Hundreds of hours of interviews** with individuals from around the Spanish-speaking world provide the cultural content for *Ritmos*. On a daily basis, students will work with these interview texts, both in written and audio forms, analyzing and negotiating content and exploring the use of language. These interviews not only provide a wealth of cultural information but also serve as rich sources of linguistic input for the language learner.

Our language proficiency goal for this first-year course is the **intermediate-low level according to the ACTFL proficiency guidelines (2012)**. What this means is that by the end of the year-long course, students should be able to "express personal meaning by combining and recombining what they know (…) into short statements and discrete sentences" on topics related to "basic personal information (…) and some immediate needs." This goal is achieved in *Ritmos* through task-based activities that require students to express themselves in Spanish in relation to a cultural topic and by providing a variety of models that serve as aids to student production.

Ritmos also includes **professional photographs** from our own bank of over 100,000 photos taken expressly for this project, capturing moments of everyday life in the Spanish-speaking world. Simply by thumbing through the *cuaderno*, users can appreciate the content and the quality of these photographs. Instructors will also find these visuals instrumental for classroom conversations or activities.

Our greatest hope is that this course be a **life-changing experience** for students and instructors. First-year Spanish!? Life-changing!? Exactly. For us, beginning Spanish is not merely a "service course" to meet core graduation requirements. We believe that by engaging the cultures, as well as the language, students will have transformative experiences in the classroom. Whether students choose to continue in Spanish or not, we hope that the cultural and language formation they receive through *Ritmos* allows them to appreciate and value the Spanish-speaking cultures and gracefully navigate intercultural interactions.

For Students – how to use *Ritmos*

The goal of *Ritmos* is to motivate and equip you to make real connections with the people and cultures of the Spanish-speaking world. It's not just to help you learn how to conjugate verbs in Spanish. Learning grammar and vocabulary is a means to the goal! The cultures where Spanish is spoken are fascinating—we want to pass on that cultural richness while helping you become proficient in Spanish.

Here are three recommendations for making the most of your Spanish learning.

Embrace the experience. Commit yourself to learning about the Spanish-speaking cultures. Be open to meeting new people though your cultural and language learning. Consider traveling and even a study experience in a Spanish-speaking country.

Take risks. Language learning in real life is messy. Learning to understand others and express yourself in a new language only happens via repeated failing. Work hard to express your ideas in Spanish and understand what you hear and read. Don't be shy—participate fully in class and learn by doing, and don't be afraid to make mistakes when trying to say something new.

Make connections. Find ways to connect what you are learning culturally and linguistically to the world around you. Try out your Spanish on Spanish speakers you know. Tell your current friends and family what you are learning. Make the content of this course a part of your life, not just something to check off a list.

For Instructors – how is *Ritmos* different

Ritmos differs from traditional textbooks in a number of ways. *Ritmos* focuses on using Spanish to learn about Spanish-speaking cultures. Grammar instruction plays an important but secondary role. What does this mean for the day-to-day role of instructors using *Ritmos*?

Facilitate class activities. *Ritmos* is full of partner and small-group activities, each of which has an interpersonal, intercultural or entertaining objective. Very few activities focus specifically on structures; rather, they integrate structural practice into interpersonal and intercultural activities, often in a playful or engaging way. Students will make mistakes; it's part of the language learning process. They need lots of **input**, from you, the instructor, the materials and each other. And they need lots of opportunities for **output**, to express real and personal meaning. One key role for the instructor is facilitating these interactions.

Elaborate on culture. In addition to providing comprehensible input, instructors are key in helping connect students with culture. Talk to students about your own cultural learning and what motivated you to become a Spanish instructor. Extend what they are learning about culture by sharing your own lived experiences. Fill in the gaps that the materials leave and make sure that students encounter authentic and real cultural artifacts and learning. Instructors are the gatekeepers of such experiences.

Flow of structures. *Ritmos* begins with a great deal of grammatical instruction but moves to review near the end of the course. Once students know basic grammar, students require practice and time to progress to advanced topics. For this reason, *Ritmos* focuses more on review and recycling later in the course, building student proficiency.

With *Ritmos*, students can jump-start their Spanish speaking. Keep them moving ahead—accuracy will follow production given time and practice. Be patient and keep them talking and listening in Spanish!

How it works

What is *Ritmos*? The *Ritmos* program emphasizes both language and culture, using three equal but distinctive elements: an interactive website, this *cuaderno*, and time in class.

Interactive To prepare for class, work first with the website to get introduced to new words and cultural information you need to communicate effectively.

Cuaderno After finishing online tasks, work in this book to practice vocabulary, express yourself in writing and read authentic Spanish texts. The *cuaderno* also contains classroom activities; bring it to class each day.

Class time In class, you will work on your speaking and listening skills as well as learn from the others in the class and from the instructor.

Learning strategies Ultimately, you need to figure out how you learn best. Here are a few tips:

Menorca, ES

Spread it out It is much more efficient to study in frequent, shorter sessions than to cram everything into a mega-session once a week.

Review Learning a new word or phrase usually takes at least 60 successful recalls or uses. You can never review too much!

Ask questions Communicate with your instructor when you are unclear on the language, culture or what you are supposed to do for class.

Make connections If you don't know any Spanish speakers, go meet some. There is no substitute for real people and real relationships.

Cuaderno icons Here are some explanations of the icons you'll encounter when using the *cuaderno*.

In-class activities Whenever you see this icon, it's time for some small group conversation practice (your instructor will tell you the specifics).

Writing assignment – use separate paper This involves a writing activity to be done on a separate piece of paper, either by hand or in a word processing program.

Este año... **Model text** Spanish text in a light red box is either a model or a sentence starter, with tips for completing the task.

Writing box Writing boxes are for just that: writing! Because of the way your brain processes information, there is no replacement for writing things by hand when learning a new language.

lunes martes... **Tip box** Tip boxes contain useful hints for either speaking in class or working on your writing assignments in the *cuaderno*.

GR 6.2c **Grammar practice** This references the textbook's grammar section where the concept is explained. It is not always necessary to study the grammar point before doing the activity.

Unit 1 Saludos

La Mano, Punta del Este, UY

Unit 1 *Saludos* (Greetings)

In Unit 1 you will learn to manage basic conversations in Spanish. This includes greetings, saying goodbye and using a number of basic questions to find out essential personal information. Part of conversation involves small talk, so you will learn how to recognize and pronounce various Spanish personal and city names, say what you are studying, and describe your home region in basic terms, including climate and seasons.

Below are the cultural, proficiency and grammatical topics and goals:

Cultura	***Gramática***
Where Spanish is spoken	1.1a Nouns and articles
Names, nicknames & titles	1.1b Adjective agreement
Important city names	1.2a Subject pronouns
Associations with *América*	1.2b *Ser*
	1.2c Forming questions
Comunicación	1.3a *Gustar* introduction
	1.3b Present tense of regular *–ar* verbs
Greetings and goodbyes	1.4a Weather expressions
Introducing yourself	1.4b Cardinal numbers and dates
Talking about studies	1.4c Ordinal numbers
Describing the weather	

1.1 ¡Besos y abrazos!

Cultura: Greetings, What is culture?
Vocabulario: Basic questions, Numbers 0-12
Gramática: Nouns and articles, Adjective agreement

A. ¡Hola!   Write an appropriate greeting from the list for each time of day listed. Then answer the questions below.

9:00 AM   9:15 PM

3:00 PM   7:00 AM

6:00 PM   11:00 PM

How do you greet your teacher before class?

How do you say hello to other people in class?

What are two ways to say goodbye to other people in class?

Buenos días.
Buenas tardes.
Buenas noches.
Adiós.
Hola.
Hasta luego.

B. Diálogos   Read the following dialogues. Then answer the questions below.

Alejandro: Buenos días, señora García.

Sra. García: Hola, Alejandro. ¿Cómo estás?

Alejandro: Bien. ¿Cómo está usted?

Sra. García: Estoy muy bien, gracias.

Alejandro: Hasta luego.

Buenos Aires, AR

Miguel: Hola. Soy Miguel. ¿Cómo te llamas?

Diana: Buenas tardes. Me llamo Diana.

Miguel: Mucho gusto. ¿De dónde eres?

Diana: Soy de la Ciudad de México. ¿Y tú?

Miguel: Soy de Sevilla, España.

1. How do you ask 'how are you?'

2. Who addresses someone formally?

3. What are two ways to say 'my name is'?

4. What greeting is used in the morning?

5. Who is from Europe?

6. How do you ask 'where are you from?'

C. ¡A completar!

GR 1.2c

Complete the following dialogues using the words or phrases from the list below. Use each item only once. Some phrases are interchangeable, so there are a number of ways to complete this activity.

Adiós.	*Goodbye.*	Hasta luego.	*See you later.*
Buenos días.	*Good morning.*	¿Cómo está usted?	*How are you?*
Me llamo…	*My name is…*	Mucho gusto.	*Pleased to meet you.*
Encantado/a.	*Pleased to meet you.*	Soy…	*I am…*

Diego: Hola. _____ Diego. ¿Cómo te llamas?

Isabel: Soy Isabel. _____ Diego.

Diego: _____ . ¿De dónde eres?

Isabel: Soy de San Antonio. ¿Y tú?

Diego: Soy de Chicago. Hasta luego.

Isabel: _____ .

Sr. Jiménez: _____ , señora López.

Sra. López: Buenos días, señor Jiménez.

Sr. Jiménez: ¿ _____ ?

Sra. López: Bien, gracias. ¿Y usted?

Sr. Jiménez: Muy bien. Hasta mañana.

Sra. López: _____ .

Laguna Llancancelo, AR

D. ¿De dónde eres?

GR 1.2c

Ask your classmates where they are from. You should ask them their name, too. Interact with as many new people as you can! And don't forget to say hello and goodbye!

Nombre	Origen
Alex	Jacksonville
Summer	Saint Louis
Racheal	Belleville
John	Chandler
	Chicago

Cameron: Hola. ¿Cómo te llamas?

Ashley: Me llamo Ashley. ¿Cómo te llamas?

Cameron: Soy Cameron.

Ashley: ¿De dónde eres?

Cameron: Soy de Dayton. ¿De dónde eres?

Ashley: Soy de Grand Rapids.

Cameron: ¡Adiós!

Ashley: ¡Hasta luego!

E. Pronunciación Read these words aloud in Spanish with a partner as a native Spanish speaker would.

Los Ángeles	similar	televisión
Miami	grande	auto
América	ideal	internet
inteligente	historia	educación

F. Deletrear Take turns with a partner spelling one word from each column. Circle the word your partner spells.

GR 1.1a

1	2	3	4
gordo	simples	honesta	bueno
grande	simpático	honrado	bajas
guapas	similar	horrible	bonito

5	6	7	8
popular	tontos	alegre	feos
pobres	triste	altos	fácil
pequeño	tímida	ansioso	fuerte

All of the words above are adjectives.
Can you tell what some of them mean?

Zaragoza, ES

G. Nombres With a partner, alternate pronouncing a name from each column below. Circle the name your partner says and spell it out. Then alternate pronouncing the remaining names.

1	2	3	4	5	6	7	8
Paula	Enrique	José	Rosa	Héctor	Carla	Inés	Fernando
Pablo	Eduardo	Jorge	Rodrigo	Hernán	Camila	Irma	Francisca
Patricia	Emilia	Juan	Roberto	Hugo	Carolina	Isabel	Felipe
Pedro	Eugenia	Julio	Ricardo	Helena	Carmen	Iván	Florencia

H. ¿Cómo te llamas? Ask at least six classmates how to spell their first name. Work with people you do not know! Write the names in the space provided.

GR 1.2c

Alex
Sumer
Kristien
Kristin

Simone:	¡Hola! ¿Cómo te llamas?
Jen:	Hola. Me llamo Jen.
Simone:	¿Cómo se escribe tu nombre?
Jen:	J-E-N. ¿Cómo te llamas?
Simone:	Simone.
Jen:	¿Cómo se escribe tu nombre?
Simone:	S-I-M-O-N-E.
Jen:	Gracias. ¡Adiós!
Simone:	¡Hasta luego!

I. La palabra "cultura"   The following are responses to the question: what do you associate with the word 'culture'? Read the texts and complete the activities that follow.

Azuka: La palabra cultura me hace pensar en lo rico que es el mundo. El mundo está lleno de culturas diferentes: comidas, música, arte, bailes, costumbres. Siempre hay algo nuevo para aprender y apreciar.

The word "culture" makes me think how rich the world is. The world is full of different cultures, foods, music, art, dances, customs. There is always something new to learn and appreciate.

Berta: Cultura para mí es otra forma de entender el mundo. La música, el arte, los libros son formas de cultura que te muestran la vida de otra manera.

Culture for me is another way to understand the world. Music, art, books are forms of culture that show you life in a different way.

Circle five Spanish words the speakers associate with the word "culture."

Write the top five words from the list below that represent the culture of your family, school or state.

la historia	el cine	la comunidad
la danza	el arte	las costumbres
la religión	la comida	la personalidad
la familia	las ideas	los ideales
las actitudes	el lenguaje	las tradiciones
la nación	la etnicidad	las actividades
la música	la identidad	la política
los deportes	la educación	la televisión

J. Más "americano"   Circle the choice in each pair that you think better represents the USA culturally.

La Casa Blanca o la Estatua de Libertad

Una hamburguesa o una pizza

La NFL o NASCAR

The New York Times o Facebook

La música *country* o el *hip hop*

Coca Cola o Budweiser

Los Ángeles o Washington DC

Now, compare your selections with a partner.

X es más "americano" que Y.
Sí, estoy de acuerdo. / No, no estoy de acuerdo.
Y es más "americano" que X.

Museo Nacional de Antropología, Ciudad de México, MX

K. ¡Números!

GR 1.4b

Take turns with a partner saying aloud the numbers below. Identify the number your partner says. Read the numbers as single digits.

L. Número de teléfono

GR 1.2c

GR 1.4b

Ask four different classmates for a telephone number they know by heart. Write their names and the phone numbers below. Use single-digit numbers when sharing your number.

¿Cuál es tu número de teléfono?
Mi número de teléfono es 555-1234.

Nombre

Número de teléfono

M. Llamadas internacionales In partners, take turns saying a telephone number from any column using single digits. Circle the number your partner says.

GR 1.4b

Estados Unidos	México	España	Chile
1 202 456 1111	52 55 49 3185	34 924 642 341	56 2 553 9722
1 202 456 1414	52 55 96 9681	34 924 661 158	56 2 553 4314
1 202 456 1140	52 55 96 4601	34 924 649 507	56 2 552 7163

N. Código de área

GR 1.4b

Write the following area codes out as single-digit numbers. Use a comma or dash to separate each number.

Modelo: (616) seis, uno, seis

(941)

(312)

(404)

(650)

(719)

(878)

Lagos de Montebello, Chiapas, MX

O. Mis cosas favoritas Answer the questions in the space provided. You will share your answers in class.

GR 1.1b

1. ¿Cuál es tu película favorita? Mi película favorita es   .

2. ¿Cuál es tu restaurante favorito? Mi restaurante favorito es   .

3. ¿Cuál es tu programa favorito? Mi programa favorito es   .

4. ¿Cuál es tu ciudad favorita? Mi ciudad favorita es   .

5. ¿Cuál es tu tienda *(store)* favorita? Mi tienda favorita es   .

P. Entrevista Ask a partner the questions from the previous activity and listen for the response. Feel free to respond in Spanish.

¡Claro!	Of course!
Yo también.	Me too.
¿Cómo?	What?
¡Imposible!	Impossible!
Interesante...	Interesting...

Q. ¿Cómo era tu maestro favorito?   The following are responses to the question: what was your favorite teacher like? Read the texts and complete the activities that follow.

GR 1.1a

GR 1.1b

Paloma: Recuerdo a mi maestra de historia del arte y arquitectura. Era una persona muy buena, justa, inteligente y exigente, una maestra con mucho conocimiento en su área que siempre tenía una respuesta a nuestras preguntas.

I remember my art history and architecture teacher. She was a very good person, fair, intelligent and demanding, a teacher with a great deal of knowledge in her subject who always had an answer to our questions.

David: Recuerdo mucho a mi maestro de biología en primer año de secundaria. Se llamaba Juan Manuel. Era un maestro muy simpático, interesante y divertido. Era muy apasionado en su trabajo. Además, me ayudaba mucho con mis otras materias.

I remember my biology teacher in seventh grade well. His name was Juan Manuel. He was a very nice, interesting and funny teacher. He was very passionate about his work. In addition, he helped me a lot in my other subjects.

Circle Spanish adjectives the speakers use to describe their favorite teacher. Look up any adjective you don't know in your dictionary. Can you guess why some adjectives end in both the letter a *and the letter* o?

Write three Spanish adjectives from the texts or that you know describing your favorite teacher.

Adjetivo 1   Divertida

Adjetivo 2   Inteligente

Adjetivo 3   Bonita

Adjectives. If the teacher you describe is a woman, many of the adjectives will end in *a*. If it is a man, many adjectives will end in *o*. Some adjectives will end in *e* regardless of whether your favorite teacher is a man or a woman.

Now, share your list with a partner. Listen to your partner's adjectives and write them down in the space below. Then, guess what subject the teacher taught. Is the teacher a man or a woman?

Adjetivo 1

Adjetivo 2

Adjetivo 3

¿Clase?

¿Es hombre o mujer?

Playa Canadell, Costa Brava, ES

la biología	las matemáticas
la historia	la química *(chemistry)*
el arte	el español
la música	el inglés *(English)*
la literatura	la informática *(comp. sci.)*
las ciencias	las lenguas
el teatro	la educación física

R. ¡Besos y abrazos!

One of the ways Spanish-speaking people greet each other is by kissing and hugging. Have your instructor explain and demonstrate the number of kisses, the type of handshake and/or hugs with which they are familiar. Now get up and greet your fellow classmates using kisses and hugs as demonstrated!

S. Repaso

Greet four classmates and fill in the information. If you need to review, look back a few pages in this unit.

GR 1.2c

Nombre	Origen	Teléfono

T. ¡A escribir!

Using all the language tools (words, phrases, sentences) you have encountered thus far, write a brief introduction of yourself covering the elements from the list below. You may be called on in class to introduce yourself without peeking at your answers, so practice it beforehand!

- Name
- How you spell your name
- Where you are from
- Phone number
- Favorite movie, restaurant, city and/or country

Hola. Me llamo Lucas. Mi nombre se escribe L-U-C-A-S. Soy de San Diego, California. Mi número de teléfono es (619) 555-0379. Mi película favorita es *Star Wars*. Uno de mis restaurantes favoritos es In-N-Out Burger. Mi ciudad favorita es, obviamente, San Diego.

Fundació Joan Miró, Barcelona, ES

Vocabulary 1.1

Buenos días	Good morning	**¿Y tú?**	And you? (familiar)
Buenas tardes	Good afternoon, Good evening	**¿Y usted?**	And you? (formal)
Buenas noches	Good night	**(Muchas) gracias**	Thank you (very much)
Hola	Hello; Hi	**¿Están listos?**	Are you ready?
Adiós	Goodbye	**Saquen su libro**	Get out your book
Chau	Bye	**Formen grupos de tres**	Form groups of three
Hasta luego	See you later	**Trabajen en parejas**	Work in pairs
Hasta mañana	See you tomorrow	**Abran el texto a la página diez**	Open your book to page ten
Encantado/a	Delighted, Pleased to meet you	**Lean las instrucciones**	Read the instructions
Mucho gusto	Pleased to meet you	**Hagan la actividad X**	Do activity X
¿Cómo estás?	How are you? (familiar)	**Escriban sus respuestas**	Write your responses
¿Cómo está usted?	How are you? (formal)	**Entreguen su tarea**	Turn in your homework
¿Cómo te llamas?	What's your name? (familiar)	**¿Está claro?**	Is that clear?
¿Cómo se llama usted?	What's your name? (formal)		
Me llamo	My name is		

¿De dónde eres?	Where are you from? (familiar)	**cero**	zero	**siete**	seven
¿De dónde es usted?	Where are you from? (formal)	**uno**	one	**ocho**	eight
Soy (de)	I am (from)	**dos**	two	**nueve**	nine
¿Cuál es tu número de teléfono?	What is your phone number? (fa.)	**tres**	three	**diez**	ten
¿Cuál es su número de teléfono?	What is your phone number? (fo.)	**cuatro**	four	**once**	eleven
Mi número de teléfono es	My phone number is	**cinco**	five	**doce**	twelve
		seis	six		

Grammar 1.1a Nouns and articles

A noun is a word used to identify a person, place or thing. In Spanish, all nouns have a grammatical gender and are considered either masculine or feminine, including non-living things. While the biological gender is obvious for males and females, you must carefully study the gender of nouns that refer to non-living things. Nouns that end in –o and –ma are usually masculine. Nouns that end in –a, –ión and –ad are usually feminine. There are some exceptions to this rule such as: *el día* (day), *el mapa* (map) and *la mano* (hand). Some nouns that refer to people use the same form, such as *estudiante*. In this case, the definite article in front of the noun (*el* or *la*) will indicate if the person is male or female.

When referring to more than one person or object, the noun is plural. If the noun ends in a vowel, add –s to make it plural. If a noun ends in a consonant, add –es to make it plural. For nouns that end in –z, first remove the –z and then add –ces. When referring to a group of people that includes males and females, the masculine plural form is used. This happens regardless of males being outnumbered by females. For example, 5 *chicas* + 1 *chico* = 6 *chicos*.

Singular	→	Plural
el estudiant**e**	+ s	los estudiant**es**
la chic**a**	+ s	las chic**as**
el profeso**r**	+ es	los profesor**es**
la lu**z**	- z + ces	las lu**ces**

You may have noticed the two-letter words in front of the nouns. These are definite and indefinite articles, which precede a noun. A definite article is used to indicate a specific noun and is the equivalent of 'the' in English. An indefinite article is used to indicate a non-specific noun and is the equivalent of 'a,' 'an' or 'some' in English. Notice that there is more than one translation for the word 'the.' It can be *el, la, los,* or *las* depending on the gender and number of the noun. In Spanish, the definite and indefinite articles must agree in gender (masculine or feminine) and number (singular or plural) with the nouns they modify.

A. Artículos — Write the English equivalents in the text boxes.

	Definite Articles			**Indefinite Articles**	
	Sing.	Plural		Sing.	Plural
Masc.	el libro	los libros	Masc.	un libro	unos libros
	the book	the books		a book	*some books*
Fem.	la clase	las clases	Fem.	una clase	unas clases
	the class	*the classes*		*a class*	some classes

B. En inglés   Write the English equivalent next to each noun given in Spanish. Remember to indicate the gender of the person if necessary.

Masculine:	English:	Feminine:	English:
el profesor	*the male professor*	la profesora	
el hombre	the man	la mujer	*the woman*
el chico	*the boy*	la chica	
el libro	*the book*	la mesa	*the table*
el poema	*the poem*	la conversación	*the conversation*
el problema		la universidad	
el artista		la artista	*the female artist*
el estudiante		la estudiante	

C. Mis respuestas   How would you respond to the following statements and questions? Write your responses below.

1. Hola.

2. ¿Cómo te llamas?

3. ¿Cómo estás?

4. ¿De dónde eres?

5. Adiós.

D. Artículos indefinidos   Write the appropriate indefinite article (*un, una, unos, unas*) in front of the following items.

1. Un examen
2. Unas sillas
3. Una mochila
4. Unos escritorios
5. Unas composiciones
6. Una prueba
7. Una mesa
8. Un libro
9. Unos cuadernos

E. Traducción al español   Write the Spanish equivalent next to each noun provided.

1. a boy →
2. a female professor →
3. some books →
4. some backpacks →

F. Singular   Write the singular form of each noun. Then complete the statements that follow.

1. los hombres → el hombre
2. las universidades → la universidad
3. los números → el número
4. unos libros → un libro
5. unas preguntas → una pregunta
6. unos profesores → un profesor

a) Nouns that end with a vowel in the singular form add the letter   S   in the plural form.

b) Nouns that end with a consonant in the singular form add the letters   es   in the plural form.

G. Plural   Write the plural form of each noun. Remember to make the articles and nouns match.

1. la profesora → las profesoras
2. el problema → los problemas
3. la ciudad → las ciudades
4. una chica → unas chicas
5. una semana → unas semanas
6. un estudiante → unos estudiantes

21

H. El verano de Rafa   During the summer, Rafael works with his father. Fill in the paragraph with the correct article from the word bank provided below. You will use each one only once.

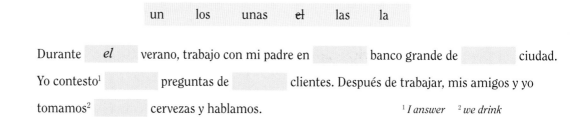

un   los   unas   e̶l̶   las   la

Durante   *el*   verano, trabajo con mi padre en _____ banco grande de _____ ciudad.

Yo contesto[1] _____ preguntas de _____ clientes. Después de trabajar, mis amigos y yo

tomamos[2] _____ cervezas y hablamos.   [1] *I answer*   [2] *we drink*

Grammar 1.1b Adjective agreement

Adjectives are words used to describe a noun, which can be a person, place or thing. In English, adjectives use the same form regardless of gender or number. For example: 'He is **tall**.' / 'She is **tall**.' / 'They are **tall**.' In Spanish, however, adjectives must agree in gender (masculine or feminine) and number (singular or plural) with the noun they modify. Notice the different endings here:

*Él es alt**o**. / Ella es alt**a**. / Ellos son alt**os**. / Ellas son alt**as**.*

Most adjectives end in –o, which means they have four different forms. The –o ending is the singular masculine form and the –a ending is the singular feminine form. To make the adjective plural, add an –s to the word.

	Singular	Plural
Masc.	un amigo alt**o**	unos amigos alt**os**
Fem.	una amiga alt**a**	unas amigas alt**as**

For adjectives that end in –e, there is only a singular and plural form. The plural is also formed by adding an –s to the word. Notice that the masculine and feminine forms are the same.

	Singular	Plural
Masc.	un amigo inteligent**e**	unos amigos inteligent**es**
Fem.	una amiga inteligent**e**	unas amigas inteligent**es**

You have probably noticed that adjectives are pluralized the same way as nouns. That is, if the adjective ends in a vowel, add –s to make it plural. If the adjective ends in a consonant, add –es to make it plural. So an adjective that ends in –or, such as *trabajador*, is modified the same as the noun *profesor*. To make the adjective feminine, you add an –a. Then to form the plural, you add –es to the masculine form that ends in a consonant and add an –s to the feminine form that ends in a vowel.

	Singular	Plural
Masc.	un amigo trabajad**or**	unos amigos trabajad**ores**
Fem.	una amiga trabajad**ora**	unas amigas trabajad**oras**

For adjectives that end in a consonant, add –es to form the plural. The masculine and feminine forms are the same.

	Singular	Plural
Masc.	un amigo socia**l**	unos amigos socia**les**
Fem.	una amiga socia**l**	unas amigas socia**les**

Some adjectives are cognates, meaning that the words in English and Spanish have a common origin. Cognates are written the same or similarly and share the same meaning in both English and Spanish. Most descriptive adjectives come after the nouns they modify and are used with the verb *ser*, which means 'to be'. In Spanish, nouns, articles and adjectives all must agree in gender (masculine or feminine) and number (singular or plural) with the nouns they modify. Notice how the adjective endings agree with the person being described.

I. Adjetivos   Circle the endings of the Spanish adjectives in the examples below.

Miguel es honesto y trabajador.

Las películas extranjeras son inolvidables y buenas.

Mi profesora es sincera, organizada y responsable.

Mis amigos son tranquilos y pacientes.

Miguel is honest and hard working.

Foreign films are unforgettable and good.

My professor is sincere, organized and responsible.

My friends are laid-back and patient.

J. Mi familia   Underline all the adjectives used in Paloma's description of her family.

Mis padres son trabajadores y conservadores. Mi padre es alto, fuerte y muy serio. Mi madre es baja, tranquila y muy bonita. Mi madre y yo somos sinceras y honestas, pero yo soy más tímida. Mis dos hermanos son atléticos, extrovertidos y fuertes.

K. Categorías   Write the adjectives you underlined in the previous activity under the appropriate category. Then complete the statements that follow.

Masculino/Singular	Femenino/Singular	Masculino/Plural	Femenino/Plural
Alto	Bajo	Trabajadores	Sinceras
Fuerte	Tranquila	Conservadores	Honestas
Serio	Bonita	Atléticos	
Timida	Timida	Extrovertidos	
		Fuertes	

1. Adjectives that end with a vowel in the singular form add the letter ___S___ in the plural form.

2. Adjectives that end with a consonant in the singular form add the letters ___es___ in the plural form.

L. Emparejar   Match the given adjectives with the opposite meaning.

activo	honesto	sincero	pequeño	tranquilo	inteligente
bajo	sociable	liberal	pesimista	gordo	trabajador

1. alto → bajo

2. pasivo →

3. tímido →

4. grande →

5. conservador →

6. delgado →

7. tonto →

8. energético →

9. optimista →

M. Identificar   Look at the following adjectives and mark (X) the gender (masculine or feminine) and number (singular or plural) of each one.

	Gender		Number	
	M	F	S	P
1. Es alto.	X		X	
2. Somos flojos.				
3. Son conservadoras.				
4. Soy gruñón.				
5. Son lloronas.				
6. Eres sincera.				
7. Son honestas.				
8. Eres trabajador.				
9. Somos tontos.				
10. Soy generoso.				

1.2 ¿De dónde eres?

Cultura: Names & Titles, Pronunciation of cities
Vocabulario: Describing things, Numbers 13-20
Gramática: Subject pronouns, *Ser*, Forming questions

A. Información

GR 1.2c

Complete the following questions using the interrogative words provided below.

¿Cómo?	¿Cuál?
¿Cuántos?	¿De dónde?
¿Dónde?	¿Qué?

Nombre — ¿ *Cómo* te llamas?

Origen — ¿ *De dónde* eres?

Dirección — ¿ *Dónde* vives?

Teléfono — ¿ *Cuál* es tu número de teléfono?

Edad — ¿ *Cuántos* años tienes?

Año universitario — ¿En *qué* año estás en la universidad?

Catedral metropolitana, Ciudad de México, MX

B. Formulario

Write down six pieces of information in English that you would expect to provide when filling out some kind of official or government form.

Name
Date of Birth   Height
Sex

Now, work with a partner to complete as much information about yourself as you can on the Spanish version of the New York state driver's license form.

APELLIDO COMPLETO
Aguilar

PRIMER NOMBRE COMPLETO
Anthony

SEGUNDO NOMBRE COMPLETO
Giovanni

¿Tiene actualmente o ha tenido anteriormente una licencia de otro estado de EE.UU., del Distrito de Columbia o de una provincia canadiense que es válida o que venció el año pasado? [✓] Sí   [ ] No

SUFIJO	FECHA DE NACIMIENTO			SEXO		ESTATURA		COLOR DE OJOS	NÚMERO DE TELÉFONO
	Mes	Día	Año	Hombre	Mujer	Pies / Pulgadas			*Incluya código de área*
	03	06	01	[✓]	[ ]	5 8			

DOMICILIO PERMANENTE

	Apt. No.	Ciudad o pueblo	Estado	Código Postal	País

DOMICILIO PARTICULAR

	Apt. No.	Ciudad o pueblo	Estado	Código Postal	País

C. Presentaciones breves

Read these short introductions and answer the questions below.

GR 1.2b

Cristina (Teruel, ES): Me llamo Cristina, tengo 22 años y llevo unos 5 años estudiando en Tarragona (España), pero soy de Teruel, una provincia que está muy cerca de Tarragona.

Laura (Madrid, ES): Me llamo Laura y tengo 22 años y yo nací[1] en Madrid en España y he vivido casi toda mi vida en España, pero parte de mi familia se mudó[2] por el exilio a Francia. Entonces he tenido mucha relación con mi familia en Francia.

María (Buenos Aires, AR): Bueno, mi nombre es María. Vengo de Buenos Aires, Argentina. Hace 22 años que estoy en los Estados Unidos, y los diez primeros años viví[3] en Nueva York.

[1] I was born
[2] moved
[3] I lived

Pancho (Nayarit, MX): Mi nombre es Pancho. Tengo 16 años, estudio en la escuela y soy originario de Nayarit, México.

Miluska (Lima, PE): Me llamo Miluska, soy de Lima, Perú. Tengo 32 años, soy profesora de español en Michigan. Nací y crecí[4] en Perú y luego vine[5] a los Estados Unidos a estudiar en la universidad.

Francisco (La Habana, CU): Mi nombre es Francisco, nacido[6] en La Habana, Cuba, criado[7] en México con familia en España. Tengo trece años en Estados Unidos, empezando por la Florida, y ahora estoy en Michigan.

[4] I grew up
[5] I came
[6] born
[7] raised

1. Which speakers are from South America?

2. Who still lives in the country they were born in?

3. Who is the youngest person?

4. Which person is a teacher?

5. Who was born on an island?

6. Who is from Europe?

7. Who went to a school or university in the U.S.?

Ser. The verb *ser* (to be) is irregular in Spanish, as it is in English.

Ser is conjugated in the present tense as:

(yo) soy	I am
(tú) eres	you are
(él/ella) es	he/she/it is
(nosotros/as) somos	we are
(vosotros/as) sois	you are
(ellos/ellas) son	they are

Estación de Atocha, Madrid, ES

D. Completar Complete the questions and accompanying answers below with information about yourself.

GR 1.2c

Información	Preguntas		Respuestas
Nombre	¿Cómo _te llamas_	?	Me llamo _Anthony_ .
Origen	¿De dónde _eres_	?	Soy de _Chicago_ .
Dirección	¿Dónde _vives_	?	Vivo en la calle _Park_ .
Teléfono	¿Cuál es tu _número de teléphono_	?	Mi número de teléfono es _708 295 9998_ .
Edad	¿Cuántos años _tiénes_	?	Tengo _20_ años.
Año universitario	¿En qué año _estas_ en la universidad?		Estoy en el _primer / segundo / tercer / cuarto / quinto_ año de la universidad.

E. Entrevista

GR 1.2c

GR 1.4b

Exchange information with two students in class. Practice asking for information and answering in nice, complete Spanish sentences. Take notes so that you are able to share the information you collected. Ask your partner to repeat the answer if necessary.

Otra vez, por favor.
Again, please.

Begur, Cataluña, ES

	Compañero/a #1	Compañero/a #2
Nombre		
Origen		
Dirección		
Teléfono		
Edad		
Año universitario		
Restaurante favorito		
Película favorita		

F. Reporte

GR 1.2b

Report the information you collected in the previous activity. Your instructor will decide whether you work in small groups or with the entire class. Feel free to use the models for responses given.

Prompts	Reporting
Nombre	Se llama…
Origen	Es de…
Dirección	Vive en la calle…
Teléfono	Su número de teléfono es…
Edad	Tiene… años.
Año universitario	Está en el… año.
Restaurante	Su restaurante favorito es…
Película	Su película favorita es…

You might use these additional phrases:

Su dirección en la universidad es…
Su número de teléfono en la universidad es…
El número de su teléfono celular es…

Why do you think the word 'favorite' appears as *favorito* and *favorita* in the models?

G. Reporte escrito

Write a paragraph about one of the people you interviewed in activity E. Then have a partner review your work. Show what you have learned in this section. Use the following model to help you in your writing.

> Se llama Samantha. Es de Chicago, Illinois. Vive en la calle 10, número 254, en Bloomington, Indiana. Su teléfono es (812) 227-7856. Tiene 21 años. Está en el cuarto año de la universidad. Su restaurante favorito es Panera. Su película favorita es *Toy Story*.

H. ¡Automático!

Work with a partner and see how quickly you can ask and answer the questions in activity D. Have your partner ask the questions randomly and answer them without looking. After one minute, switch roles.

I. ¡Todos juntos!

GR 1.2c

Now get up and ask several classmates one question from activity D. Ask as many different questions as you can. Try to ask and answer without looking at your workbook. You have two minutes to interact with as many of your classmates as possible!

La Rambla, Barcelona, ES

J. Números 0 a 20

GR 1.4b

Write the numerals for the numbers below.

once

cinco

dieciocho

diecinueve

catorce

veinte

dieciséis

dos

diecisiete

doce

quince

trece

Granada, ES

K. Identificar   In pairs, say any of the numbers listed below in Spanish and see how fast your partner can identify them.

1	2	3	4	5	6	7	8	9	10
11	12	13	14	15	16	17	18	19	20

L. Matemáticas   Take turns with your partner solving the math problems below and saying them out loud.

$2 + 13 = 15$	Dos más trece son quince.
$12 - 1 = 11$	Doce menos uno son once.
$4 \times 2 = 8$	Cuatro por dos son ocho.
$15 \div 3 = 5$	Quince dividido por tres son cinco.

GR 1.4b

1. $6 + 12 =$
2. $7 + 9 \ =$
3. $11 + 8 =$
4. $15 + 2 =$

5. $14 - 10 =$
6. $20 - 7 =$
7. $15 - 7 \ =$
8. $19 - 2 \ =$

9. $3 \times 5 \ =$
10. $6 \times 3 \ =$
11. $4 \times 4 \ =$
12. $7 \times 2 \ =$

13. $20 \div 5 \ =$
14. $18 \div 3 \ =$
15. $12 \div 6 \ =$
16. $10 \div 2 \ =$

M. ¿Dónde vives?   Ask four classmates for their home address. Be sure to get the correct numbers and spellings of the street names.

¿Dónde vives? / Vivo en la calle Louis 3366, en Palo Alto, CA.

GR 1.2c

Nombre	Calle y Número	Ciudad	Estado o Provincia

N. Ciudades   Read the short descriptions of different cities and answer the questions that follow.

GR 1.1a

Ezequiel (Tampico, MX): Tampico es una ciudad grande. Creo que se compara un poco con Chicago. Tiene muchos edificios,[1] un centro turístico, el puerto, restaurantes, arte, teatro y cines.

Cristina (Lleida, ES): Lleida es capital de provincia. Tiene unos 115 mil habitantes – bueno, no es muy grande. Tiene la Catedral de Seu, que es la más conocida. Es una ciudad bastante comercial y agrícola. Hay muchos campos.[2] Es una ciudad muy tranquila.

----
[1]   buildings
[2]   fields, countryside

Abraham (Monterrey, MX): Monterrey es una ciudad muy grande y una ciudad muy industrializada. "La ciudad de las montañas," básicamente como se dice, porque está completamente rodeada[3] por puras montañas.

Claudia (Querétaro, MX): ¿Cómo es Querétaro? Pues es una ciudad bastante grande, tiene muchas actividades culturales de cine, de pintura, de música. Es una de las ciudades más limpias[4] de México. El clima es semidesértico, caluroso,[5] con un calor seco.[6]

----
[3]   surrounded
[4]   *más limpias* – cleanest
[5]   hot
[6]   a dry heat

Circle the following words in Spanish in the texts and write them in the spaces provided. Try not to use a dictionary!

a. *industrialized*

b. *commercial*

c. *tranquil*

d. *agricultural*

e. *mountain*

f. *cathedral*

g. *music*

h. *port*

Cerro de la Silla, Monterrey, MX

1. Which is probably the smallest city?

2. Which city is near mountains?

3. Which city may be business-oriented?

4. Who mentions cultural activities?

5. Which city most resembles your city? Why?

O. Otros lugares   In relation to where you are now, fill in the information about the following places using the phrases in the box as a guide.

está cerca	it's near
está lejos	it's far
está al norte	it's to the north
está al sur	it's to the south
está al este	it's to the east
está al oeste	it's to the west
es grande	it's large
es pequeño/a	it's small

Luarca, Asturias, ES

	¿Está cerca o lejos?	¿Está al norte, sur, este u oeste?	¿Es más grande o más pequeño/a?
1. La ciudad de San Diego			
2. El estado de Alaska			
3. La ciudad de Lérida (España)			
4. La ciudad de Chicago			
5. El pueblo de Frostproof, FL			
6. La Ciudad de México			

P. Descripciones

GR 1.1b

Complete the sentences below using at least two adjectives to describe your hometown and state. Then choose a city and a state that are the opposite of yours and describe it using two adjectives.

Remember that adjectives in Spanish agree with what they describe by altering their ending. Thus *el estado es bonito*, but *la ciudad es bonita*.

grande	rural	emocionante	turístico
pequeño	urbano	limpio	hermoso
bonito	industrial	sucio	mejor que
feo	aburrido	diverso	peor que

La ciudad de Nueva York es grande, turística y mejor que Boston.

Mi ciudad natal es …

Mi estado es …

La ciudad de _____ es …

El estado de _____ es …

Q. Mi lugar favorito

GR 1.1b

GR 1.2b

Pick one of your favorite cities, states or countries. Then, using the words and phrases in the box, write a short description of that place. Remember adjective agreement!

Es una ciudad grande y diversa. Es muy urbana, emocionante y turística. Está en el noreste de España. Está cerca de Francia. (Es Barcelona.)

está cerca de… / lejos de…	*está al norte / sur / este / oeste*
es mejor que… / peor que…	*es limpio / sucio*
es grande / pequeño	*es aburrido / emocionante*
es hermoso / bonito / feo	*es rural / urbano / industrial*

Mi lugar favorito

Día de Muertos, Morelia, MX

R. Su lugar favorito

GR 1.1b

Now, get together with a partner and read your descriptions to each other. Write what your partner says in the space provided and try to guess the place your partner described.

El lugar favorito de mi compañero/a

S. ¡A escribir!

Write two short paragraphs about yourself and where you live. Include your personal and school contact information as well as a description of the place you are from. The model texts can serve as guides.

es mejor que	is better than
es peor que	is worse than
es más bonito/a que	is prettier than
es menos diverso/a que	is less diverse than

Mi nombre es Laura. Soy de San Antonio, Texas. Vivo en Phelps Hall en la universidad. No tengo teléfono, pero mi correo electrónico es slothstronautfan@gmail.com. Tengo 18 años. Estoy en el primer año de la universidad.

San Antonio es una ciudad bonita. Es mi ciudad favorita porque es turística y muy emocionante. Es urbana y un poco industrial, pero es muy limpia. Está al sur y en el centro de Texas. En mi opinión, es mucho mejor que Dallas.

Vocabulary 1.2

la ciudad	city	¿Cuál es tu correo electrónico?	What's your email?
el estado	state	Mi correo electrónico es	My email is
el país	country	¿Cuántos años tienes?	How old are you?
el lugar	place	Tengo X años	I'm X years old
el pueblo	town	¿Dónde vives?	Where do you live?
aburrido/a	boring	Vivo en	I live in
bonito/a	pretty, lovely	Está al norte de	It's to the north of
emocionante	exciting	Está cerca/lejos de	It's near/far from
favorito/a	favorite	¿En qué año estás en	In what year of study are you
feo/a	ugly	la universidad?	at college/university?
grande	large	Estoy en el primer año de la	I'm in my first year of college/
hermoso/a	beautiful	universidad	university
pequeño	small	Es más (bonito) que	is (prettier) than
sucio/a	dirty	Es menos (diverso) que	is less (diverse) than
ser	to be	mejor que	better than
estar	to be	peor que	worse than

azul	blue	verde	green				
castaño/a	brown	este	east	trece	thirteen	diecisiete	seventeen
gris	gray	norte	north	catorce	fourteen	dieciocho	eighteen
negro/a	black	oeste	west	quince	fifteen	diecinueve	nineteen
rojo/a	red	sur	south	dieciséis	sixteen	veinte	twenty

Marrón Café (handwritten annotation)

1.2a Subject pronouns

Before learning how to conjugate verbs, it is important to understand subject pronouns. A pronoun is a word used to replace a noun in a sentence. A subject pronoun can be used to replace the name of a person. For example: "Michael is smart. He reads a lot." Instead of repeating the name Michael, you can use the subject pronoun 'he,' which we know refers to Michael. So a subject pronoun replaces the name of a person and is used as the subject of the verb.

The subject pronouns in Spanish are shown below. They are considered singular when referring to one person and plural when referring to more than one person. They are also divided into first, second and third person. The first person is used when you are speaking about yourself as an individual (I) or as part of a group of people that includes yourself (we). The second person is used when you are speaking to one person (you singular) or more than one person (you plural). The third person is used when you are speaking about one person (he/she) or more than one person (they).

The Spanish subject pronouns are as follows:

Subject Pronouns

yo	*I*	nosotros	*we (M)*
		nosotras	*we (F)*
tú	*you (familiar)*	vosotros	*you (M) (familiar)*
usted (Ud.)	*you (formal)*	vosotras	*you (F) (familiar)*
		ustedes (Uds.)	*you (formal)*
él	*he*	ellos	*they (M)*
ella	*she*	ellas	*they (F)*

In second person, all of the subject pronouns mean 'you' because you are speaking to someone. The singular forms of 'you' are *tú* and *usted* (abbreviated as *Ud.*). *Tú* is the singular familiar form used to address friends, family members, coworkers, classmates, children and other informal relations on a first-name basis. *Usted* is the singular formal form used with people you don't know well or with people you address using a title such as Mr., Mrs., Dr. or Prof. It is also used to show respect when addressing people such as your boss, a professor, the elderly, strangers and other formal relationships.

The plural forms of 'you' are *vosotros* and *ustedes* (abbreviated as *Uds.*). *Vosotros* is the plural form of *tú* and is used only in Spain. *Ustedes* is the plural form of *usted*. It is used in Spain for formal situations. In Latin America, *ustedes* is used in both familiar and formal situations when addressing two or more people. Since *vosotros* is only used in Spain, it will not be used in activities.

As you saw with nouns and adjectives, Spanish is more gender specific than English. Use *nosotros, vosotros* and *ellos* when referring to a group of males or a group of mixed gender. Use *nosotras, vosotras* and *ellas* only when referring to a group exclusively of females. The written accent marks on *tú* (you) and *él* (he) are important because they distinguish the subject pronouns from 'your' (*tu* / possessive adjective) and 'the' (*el* / definite article).

A. ¿Singular o plural?

Indicate whether the questions are singular or plural. Then decide whether they are familiar or formal.

Modelo: ¿Cómo estáis?

1. ¿De dónde eres tú?
2. ¿Cómo está Ud.?
3. ¿De dónde son Uds.?
4. ¿Cómo están Uds.?

	Singular	Plural	Familiar	Formal
Modelo	☐	X	X	☐
1.	☐	☐	☐	☐
2.	☐	☐	☐	☐
3.	☐	☐	☐	☐
4.	☐	☐	☐	☐

B. La familia de Julián

Circle the subject pronouns used in Julián's introduction of his family. Then list the subject pronouns you circled as either singular or plural.

Yo me llamo Julián. Mi padre se llama Juan. Él es de Puerto Rico. Mi madre se llama Mariana. Ella es de Nueva York. Ellos tienen[1] tres hijos, incluyendo a mis dos hermanas. Ellas se llaman María y Andrea. Ahora nosotros vivimos[2] en California. Y tú, ¿de dónde eres?

[1] *they have*   [2] *we live*

Singular: _____

Plural: _____

C. Segunda persona

Mark (X) the correct subject pronoun you would use to address the following people. Then answer the questions that follow.

	tú	Ud.	vosotros	Uds.
1. Diana y Jesusa				
2. Carlos				
3. dos profesoras				
4. Sr. López				
5. Marta				
6. un chico y dos chicas				

a) Which two subject pronouns address a familiar 'you'? _____ and _____

b) Which two subject pronouns address a formal 'you'? _____ and _____

D. Tercera persona

Mark (X) the correct subject pronoun you would use to talk about the following people. Then answer the questions that follow.

	él	ella	ellos	ellas
1. Diana y Jesusa				
2. Carlos				
3. dos profesoras				
4. Sr. López				
5. Marta				
6. un chico y dos chicas				

a) Which subject pronouns refer to men or a group of mixed gender? _____ and _____

b) Which subject pronouns refer to a female or a group of females? _____ and _____

E. Completar

Fill in the blanks with the appropriate subject pronoun. Then answer the questions that follow.

_____ vivo con mis amigos en un apartamento. _____ vivimos cerca de la universidad. Mi mejor amiga se llama Isabel. _____ estudia biología. También vivo con Marcos y Maribel. _____ estudian psicología. Isabel y Maribel son hermanas. _____ tienen un perro que se llama Cleto. Y _____, ¿dónde vives?

Now answer these questions about the friends in complete sentences using the correct subject pronouns.

1. ¿Qué estudia Isabel?
2. ¿Dónde viven los amigos?
3. ¿Qué estudian Marcos y Maribel?
4. ¿Quién es Isabel?
5. ¿Cómo se llama el perro?

1.2b *Ser*

The verb *ser* (to be) is an irregular verb in Spanish, which means you need to memorize the conjugations since it does not follow a pattern. It is one of two verbs in Spanish that means 'to be.'

ser

yo	soy	*I am*	nosotros	somos	*we are*
tú	eres	*you are (fam.)*	vosotros	sois	*you are (fam.)*
Ud.-él-ella	es	*you are (form.); he/she is*	Uds.-ellos/as	son	*you are (form.); they are*

The verb *ser* is used to express:

1. **Time and dates:**
   ¿Qué hora es?   Son las tres.   Es lunes.   Es el veintiocho de abril.

2. **Origin and nationality:**
   ¿De dónde eres?   Soy de Michigan.   Tú eres mexicano.   Diego es de México.

3. **Characteristics:**
   ¿Cómo es tu madre?   Mi madre es baja y bonita.   Somos atléticos y altos.

4. **Relationship:**
   Soy la amiga de Luis.   Marta y Diana son las hermanas de Felipe.

5. **Occupation:**
   Ella es profesora.   Somos estudiantes.   El señor Márquez es doctor.

6. **Possession:**
   ¿De quién es el libro?   El libro es de Alejandro.

F. Ser   Circle the different conjugations of the verb *ser* in the models provided above.

G. Identificar   Underline the subject of each sentence and circle the forms of the verb *ser* in the following text.

Marcos, Isabel y Maribel son mis amigos. Nosotros somos estudiantes. Mis amigos son muy amables. Isabel es mi mejor amiga. Ella es muy confiable. Isabel y Maribel son hermanas. Marcos es el novio de Maribel. Él es un poco tímido, pero Maribel es sociable.

H. Escoger   Circle the correctly conjugated form of the verb *ser* to complete each sentence.

1. Miguel (eres / es) de Nueva York.
2. Yo (soy / es) de Argentina.
3. Enzo y Luigi (son / somos) de Italia.
4. Tú (soy / eres) de Puerto Rico.
5. Mis amigas (eres / son) de México.
6. El señor Pérez (es / eres) de California.
7. Ustedes (somos / son) de España.
8. Ernesto y yo (soy / somos) de Perú.

I. Completar   Fill in the blanks to complete the sentences using the verb *ser*.

Mi familia no _____ muy grande pero nosotros _____ muy unidos. Mi madre _____ la mayor de la familia. Ella _____ muy bonita. Mi padre _____ profesor de química. Mis hermanos _____ energéticos y jóvenes pero yo _____ la menor de mis hermanos. Mis hermanos y yo _____ estudiantes. ¿Cómo _____ tu familia?

1.2c Forming questions

You may have already noticed that questions in Spanish use two question marks: an upside-down one at the beginning (¿) and a regular one at the end (?). The upside-down question mark can be practiced by writing the letter 'i' above the letter 'c'. Do you see how easy that is?

In Spanish, there are several different ways to ask a question that elicit a 'yes' or 'no' response. The model below shows three different ways to ask the question: 'Are you from Peru?' Notice that the subject *tú* may be placed at the beginning, after the verb or at the end of the question. The two possible responses to this question would be: 'Yes, I am from Peru' and 'No, I am not from Peru.'

¿**Tú** eres de Perú?
 S   V

¿Eres **tú** de Perú?   Sí, soy de Perú. /
 V   S   No, no soy de Perú.

¿Eres de Perú **tú**?
 V   S

Here are some question words used to form questions in Spanish:

¿Cómo?	*How?*	¿Cuánto/a(s)?	*How much/many?*	¿Por qué?	*Why?*
¿Cuál(es)?	*Which (ones)?*	¿De dónde?	*From where?*	¿Qué?	*What?; Which?*
¿Cuándo?	*When?*	¿Dónde?	*Where?*	¿Quién(es)?	*Who?*

Here are some useful questions and responses:

¿Cómo estás? / ¿Cómo está usted?	(Muy) bien, gracias. / No muy bien.
¿Cómo te llamas? / ¿Cómo se llama usted?	Me llamo… / Soy…
¿Cuál es tu número de teléfono?	Mi número de teléfono es…
¿Cuándo trabajas?	Trabajo los lunes y miércoles.
¿Cuántos años tienes?	Tengo # años.
¿De dónde eres? / ¿De dónde es usted?	Soy de…
¿Dónde vives? / ¿Dónde vive usted?	Vivo en…
¿Por qué estás estudiando?	Estoy estudiando porque tengo un examen.
¿Qué estudias?	Estudio español.
¿Quién es Miguel?	Miguel es el hijo de Roberto.

J. Palabras interrogativas   What do these question words mean in English?

1. ¿Quién? →

2. ¿Dónde? →

3. ¿Cuándo? →

4. ¿Qué? →

5. ¿Por qué? →

6. ¿Cómo? →

K. Preguntas   Complete the questions below by circling the most appropriate question word.

1. ¿ (Cómo / Cuándo) estás?
2. ¿ (Por qué / Dónde) vives?
3. ¿ (Cuándo / Quién) es tu profesor?
4. ¿ (Qué / Por qué) te gusta hacer?
5. ¿ (Por qué / Quién) estudias español?
6. ¿ (Cómo / Cuándo) es tu cumpleaños?

L. Completar   Complete the questions below using the question words provided. Then answer them using information about yourself.

¿Cómo?	¿Cuándo?	¿Cuántos?
¿De dónde?	¿Dónde?	¿Qué?

1. ¿ *Cómo* te llamas? → *Me llamo* Anthony

2. ¿ *De dondé* eres? → *Soy de* Chicago

3. ¿ *Cuántos* años tienes? → *Tengo* 20 *años.*

4. ¿ *Dónde* vives? → *Vivo en* Greene Hall

5. ¿ *Qué* estudias? → *Estudio* Español

6. ¿ *Cuándo* es tu cumpleaños? → *Mi cumpleaños es el* 6 de Marzo

1.3 ¿Qué estudias?

Cultura: Comparing fields of study
Vocabulario: Majors, Days of week, Numbers 30-100
Gramática: *Gustar*, Present tense of regular –*ar* verbs

A. Clases y carreras

GR 1.1a

Write the appropriate definite article (*el, la, los, las*) in front of the following majors.

los negocios   las matemáticas

la filosofía   el inglés

el arte   la contabilidad

la geografía   el periodismo

la física   la biología

las lenguas   las comunicaciones

Spanish articles. In Spanish, there is more than one translation for the word 'the': *el, la, los, las*. These words (articles) agree in number and gender with the noun (i.e., a person, place or thing).

B. ¿Qué estudias? Ask four classmates what their major is.

GR 1.2c

¿Qué estudias?   Estudio español.
       No estoy seguro. *(I'm not sure.)*

Nombre	Carrera
Alex	la education
Jayse	la Kinesology
Sumer	enfermeria
Kristen	Education

C. Las clases que me gustan Fill in the columns with three courses you enjoy and three courses you do not enjoy.

GR 1.3a

Me gusta mucho	No me gusta

Gustar means 'to like' or 'to please.' You'll learn more about this verb later. For now, use *me gusta* for 'I like,' and *no me gusta* for 'I don't like.'

D. ¿Qué clase te gusta? Survey as many classmates as possible to find out the classes they like and don't like. List the classes mentioned in the appropriate column.

GR 1.3a

| ¿Qué clase te gusta? | Me gusta la clase de español. |
| ¿Qué clase no te gusta? | No me gusta la clase de música. |

Les gusta la clase de

No les gusta la clase de

E. ¿A qué hora sale el autobús? Using numbers 0-59, write the following times in number format.

GR 1.4b

| Sale a las tres y quince. | 3:15 AM |
| Sale a las quince y quince. | 3:15 PM |

Telling time. In most Spanish-speaking countries, time is usually expressed on a 24-hour clock, which is also referred to as military time in the US. This is mostly done for transportation schedules, sporting events and TV listings.

Sale a la una y veinte.

Sale a las diez y treinta y siete.

Sale a las doce y cincuenta.

Sale a las veinte y treinta.

Sale a las dieciséis y quince.

Sale a las veintidós.

Sale a las diecisiete y cinco.

Sale a las trece y veinticinco.

Santiago de Compostela, ES

F. Y ahora dilo tú Using the previous activity as a model, take turns in partners saying the following times out loud and pointing at the time your partner says.

GR 1.4b

9:10 PM	3:55 PM	12:00 PM
2:45 AM	8:15 AM	6:35 PM
11:50 PM	10:20 AM	7:40 AM
1:55 PM	9:05 AM	6:30 AM

El autobús sale a las once y cuarenta y cinco. (11:45 AM)

G . ¿Cómo se deletrea?   Take turns with a partner spelling one word from each column. Circle the word your partner spells. Then, alternate spelling the remaining words. For letters with an accent, say *i con acento.*

1	2	3	4	5	6	7
enfermería	ingeniería	latín	periodismo	filosofía	música	comunicaciones
educación	informática	leyes	publicidad	finanzas	medicina	contabilidad
economía	inglés	literatura	psicología	física	matemáticas	ciencias

H . ¿Fácil o difícil?   Choose two classes from the previous activity that you feel are generally easy for you and two classes that are difficult for you. Write them below. Then compare your answers with a partner.

Clases fáciles

Clases difíciles

I. Asociaciones   Write the name of the class (*¡en español!)* that you associate with the famous people noted. If necessary, a quick internet search will help inform you of their important contributions to global society.

Sócrates

Marie Curie

Pablo Picasso

Jorge Ramos

Octavio Paz

Charles Darwin

Chavela Vargas

Eduardo Galeano

Óscar Arias Sánchez

Elena Poniatowska

Which of the people above is most interesting / inspirational / important to you? Why?

J. En la universidad

The following are responses to the question: What do you or did you study at your university?

Jonathan (Denia, ES): ¿Qué tipo de clases? Pues, tomo álgebra, cálculo, química, física, expresión gráfica e informática. Estoy estudiando la carrera de ingeniería industrial.[1]

Michelle (Querétaro, MX): Yo estudié[2] biología. Si estudias biología, tomas redacción,[3] inglés, y ya, todo lo demás[4] es pura biología.

Laura (Madrid, ES): El primer semestre estudié francés, literatura francesa y relaciones internacionales. En el segundo semestre estoy estudiando teatro, japonés y más inglés. Mi carrera es traducción[5] e interpretación de idiomas.

---

[1] industrial engineering
[2] I studied
[3] writing
[4] *todo lo demás* – everything else
[5] translation

Jessica (Querétaro, MX): En Querétaro estudio la historia de la danza, técnica de la danza, ballet y también cuidado del cuerpo, nutrición, anatomía y kinesiología.

Cristina (Teruel, ES): Mi carrera tiene un ciclo de tres años en el que estudias periodismo, comunicación audiovisual y publicidad. Los últimos cinco años estudias materias específicas de publicidad y de relaciones públicas.

Grammatical gender. Spanish words are usually masculine or feminine. As a result, articles ('the' and 'a') and adjectives (like 'tall' or 'thin') often change their spelling according to the gender of the noun. The general pattern is: a noun ending in *a* is feminine *(la historia)*, a noun ending in *o* is masculine *(el periodismo)*.

1. Which people work in the sciences?

2. Who studies languages?

3. Who is in the arts? Who is in humanities?

4. Who are you most like? How so?

K. Género gramatical

GR 1.1a

Underline the following phrases in the text above. Then circle whether they are grammatically masculine (M) or feminine (F).

pura biología	M	F
la carrera	M	F
el segundo semestre	M	F
los últimos cinco años	M	F
materias específicas	M	F

L. ¡Rincones!

Your instructor will name two choices of courses or careers and point to different corners for each one. Choose the one you prefer by moving quickly to the corner of the classroom designated for your choice.

M. Preguntas básicas Complete the following questions using the conjugated verbs provided.

GR 1.3b

> estudias   gusta
> tienes   tomas

¿Qué _estudias_ ? *(study)*

¿Qué clases _tomas_ este semestre? *(take)*

¿Qué días y horas _tienes_ clases? *(have)*

¿Qué clase te _gusta_ o no te _gusta_ ? *(like)*

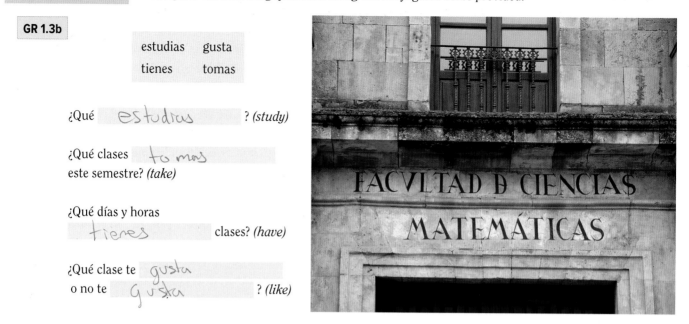

N. Números hasta 100 In pairs, say several of the numbers listed below and see how fast your partner can identify them.

GR 1.4b

36	15	13	2	60	21
50	76	38	14	64	91
40	12	70	11	67	82
3	95	44	55	89	74

O. Mi horario Fill in the chart with classes you are currently taking. Include the course name and number, the days of the week and times you have them.

GR 1.4b

Mis clases	Días	Hora
Sociology	Lunes, Martes, Jueves, Viernes	la mañana
Anatomy & Physiology	Lunes, Martes, Viernes	la tarde
Nursing Fundamental 250	Lunes, Martes, Miércoles, Jueves, Viernes, Sábado, Domingo	la tarde
Spanish 101	Lunes, Miércoles	la noche

Days of the week

lunes	Monday
martes	Tuesday
miércoles	Wednesday
jueves	Thursday
viernes	Friday
sábado	Saturday
domingo	Sunday

Times of the day

la mañana	morning
la tarde	afternoon
la noche	night

Now, put the information together in sentences.

Tomo español 101 los lunes y miércoles a las 6:30 de la tarde

Tomo español 101 los lunes, miércoles y viernes a las 9:30 de la mañana. Tomo la clase de historia 325 los jueves a las 7 de la tarde (¡por tres horas!).

P. Sus horarios

Read the sentences you wrote in the previous activity to several classmates and listen to their sentences. As they read, jot down the information for one of their classes in the boxes below.

GR 1.4b

Nombre	Sus clases	Días de clase	Horas

Q. Carreras populares

Write down five majors that you think would rank in the top 10 list among U.S. college students. Then, survey your classmates to find out the most popular majors in your class.

En mi opinión, cinco carreras populares son:

¿Qué estudias? / Estudio literatura.
¿En qué carrera estás? / Estoy en negocios.

Carreras populares de mis compañeros:

R. Tus preferencias

In Mexico, the university application requires that students declare a second option for their major in case they don't get accepted into their first choice.

1. What is your first choice for a major?

2. What would be your second choice?

3. What major would you never choose? Why?

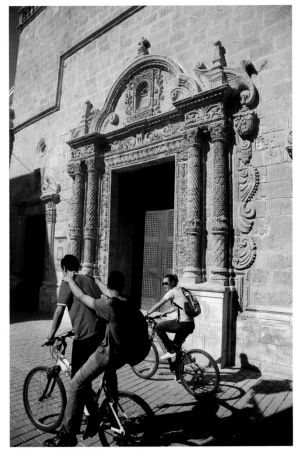

Ciutadella de Menorca, ES

S. Más carreras   The following are more responses to the question: What do you or did you study? Read them through and answer the questions that follow. Place the number of the question where the answer is located in the text.

Lara (Denia, ES): Estoy en el segundo año de bachillerato,[1] que es el último curso del instituto y es donde decides qué vas a estudiar, si vas a hacer letras[2] o ciencias. Es el curso más difícil, por supuesto, antes de entrar en la universidad, y tienes que intentar[3] sacar la máxima nota para poder elegir[4] qué quieres estudiar.

Carlos (Ciudad de México, MX): Estudio administración de empresas.[5] Realmente estudio eso porque mi papá quiere que yo tenga una carrera. Pero también, estudio para ser chef y administración de restaurantes que es lo que a mí me gusta.

Carmen (Denia, ES): Bueno, pues estoy estudiando turismo que son tres años. Es una carrera muy diversa y en el primer y segundo año, no se repite ninguna asignatura.[6] Estudio derecho,[7] geografía y economía. No me gustan los exámenes, pero hago muchos trabajos y muchas prácticas. Es una carrera que me gusta mucho en esos aspectos.

Oaxaca, MX

Ezequiel (Tampico, MX): Estudio en la Universidad de Michigan State. Mi especialidad es justicia criminal con un *minor* en psicología y un certificado en seguridad[8] nacional.

Sarai (Alcoy, ES): Pues, estudio derecho y soy un poco nueva en esto. Como es el primer año, estoy un poco perdida[9] con lo de los créditos, y cómo es la carrera. Es muy difícil estudiar leyes,[10] es muy complicado. Tengo que estar todo el día con el diccionario estudiando mucho.

---

1   high school
2   liberal arts
3   *intentar* – to try
4   *elegir* – to choose
5   business administration
6   subject
7   law

---

8   security
9   lost
10 law

1. Who prefers practical assignments to exams?

2. Who feels pressure from his or her father to study a particular major?

3. Who might be able to work for Homeland Security?

4. Who has not yet attended college?

5. Who needs the best grades possible in order to be able to choose what they want to study?

6. Whose major offers variety?

7. Who feels a bit lost in her major?

8. Who would like to go into the food business?

9. Who is most similar to you? Why?

T. ¡Intercambio!

Using your responses from earlier activities, exchange information with two other students. Try to give the information without looking back through the text. As you listen, fill in the information below for each one.

	Estudiante #1	Estudiante #2
GR 1.3a Carrera o especialidad		
GR 1.4b Clases este semestre (número, día, hora)		
¿Qué clase le gusta o no le gusta?		

U. ¡A escribir!

Write a good paragraph about school courses and majors. Include what courses of study are popular at your school, your major and minor, your course schedule this semester (course, number, day, time), and one class you (dis)like. Use the model texts as guides.

Model 1: Mi nombre es Thao. Asisto a Hope College en Holland, Michigan. Mi especialidad es biología. Quiero ser doctora. Muchos estudiantes en Hope siguen carreras en las ciencias naturales. Tomo tres clases y dos laboratorios: química (orgánica) 231, biología (anatomía) 222 y español 221. Todas mis clases son los lunes, miércoles y viernes: química 231 es a las 8:30 de la mañana, español 221 es a las 9:30, y biología 222 es a las 2:00 de la tarde. Tengo laboratorio de anatomía los martes de 7:30 a 10:30 de la mañana y laboratorio de química los jueves de 1:00 a 6:00 de la tarde. Me gusta mucho la clase de química, pero es muy difícil.

Model 2: Me llamo Samantha. Estudio en la Universidad de Indiana en Bloomington. Estudio música, específicamente, piano y composición. La música y los negocios son carreras populares en mi universidad. Este semestre tomo tres clases: música (teoría) 502, composición 690 y cine 425. Las clases de música y de composición son los martes y los jueves, a las 9:00 de la mañana y a las 2:15 de la tarde. La clase de cine es los miércoles a las 7:30 de la tarde. Me gusta mucho mi clase de composición.

Verb endings. In Spanish, the verb endings specify who does the action. You have already been using the forms of the verb *estudiar*:

estudio	I study
estudias	you study
estudia	he/she studies

You'll learn more about verb endings later. For now, focus on noticing the ending of a verb. For example, an *o* will often correspond to the subject 'I' or *yo*; an *s* will usually go with 'you' or *tú*.

43

Vocabulary 1.3

la biología	biology	**la publicidad**	publicity, marketing
las ciencias políticas	political science	**de la mañana**	in the morning
las comunicaciones	communication	**de la tarde**	in the afternoon
la contabilidad	accounting	**de la noche**	at night
la enfermería	nursing		
la economía	economics	**¿Qué estudias?**	What do you study?
la educación (primaria, secundaria)	education (elementary, secondary)	**Estudio**	I study
		¿Qué clases tomas?	What classes are you taking?
la filosofía	philosophy	**Tomo**	I'm taking
las finanzas	finance	**Me gusta(n)**	I like, pleasing to me
la física	physics	**No me gusta(n)**	I don't like, not pleasing to me
la historia	history		
la informática	computer science	**lunes**	Monday
la ingeniería	engineering	**martes**	Tuesday
el inglés	English	**miércoles**	Wednesday
las leyes	law	**jueves**	Thursday
las lenguas	languages	**viernes**	Friday
la literatura	literature	**sábado**	Saturday
las matemáticas	math	**domingo**	Sunday
la medicina	medicine		
la música	music	**treinta** thirty	**setenta** seventy
los negocios	business	**cuarenta** forty	**ochenta** eighty
el periodismo	journalism	**cincuenta** fifty	**noventa** ninety
la psicología	psychology	**sesenta** sixty	**cien** one hundred

1.3a *Gustar* introduction

The verb *gustar* means 'to like' or 'to be pleasing' in English. You can use *me gusta* to express what you like or what is pleasing to you. You can use *no me gusta* to express what you don't like or what is not pleasing to you. The verb *gustar* agrees with the noun that follows the verb. Use *gusta* if what you like is a singular noun (*el café, el fútbol*) or an infinitive (*bailar, leer*) for what you like to do. Use *gustan* if what you like is plural (*los deportes, las computadoras*). You will learn more about this verb later. For now, use the following models to ask and respond to what you like.

A. Gustar Fill in the blanks below with *me gusta, me gustan* or *te gusta*.

¿Te gusta jugar fútbol?   No, no **me gusta** jugar fútbol.

¿ **Te gusta** el libro?   Sí, me gusta el libro. / No, no me gusta el libro.

¿Te gustan los deportes?   Sí, **me gustan** los deportes.

B. Me gusta la playa Read Esteban's description of what he likes to do during the summer. Then circle the use of the verb *gustar* and underline the noun or verb that comes after *gustar*.

En el verano, me gusta ir a la playa con mi novia. En la playa me gusta nadar. A veces juego fútbol y voleibol con mis amigos. Me gustan mucho los deportes. Mi novia toma el sol y lee. A ella le gusta mucho el sol. También le gustan las revistas de moda. A mí no me gusta la moda. Después, nos gusta dar un paseo por la playa. Y a ti, ¿qué te gusta hacer en el verano?

C. ¿Gusta o gustan?   Write what you underlined in the appropriate column with the form of *gustar* that you circled. Then answer the questions that follow.

Singular nouns	Plural nouns	Verbs
El sol	Los deportes	Ir
La moda	Las revistes	Nadar
		Dar un paseo
		Hacer

1. Which form of *gustar* is used if what you like is a singular noun?   gusta

2. Which form of *gustar* is used if what you like is a plural noun?   gustan

3. Which form of *gustar* is used with a verb for what you like to do?   gusta

D. ¿Qué te gusta hacer?   Mark (X) the activities you enjoy doing and the ones you don't enjoy.

	Me gusta	No me gusta
1. nadar cuando hace sol		
2. tomar clases los viernes		
3. jugar videojuegos		
4. escuchar música cuando estudio		
5. ver películas románticas		
6. ir a la playa		
7. bailar los fines de semana		
8. tomar el sol		
9. escribir poemas		

Now write two sentences listing at least two things you enjoy doing and two things you don't enjoy doing.

Me gusta...

No me gusta...

E. Identificar   Indicate what comes after the verb *gustar* by writing the letter that applies for each sentence (S = singular noun, P = plural noun, V = verb). Then circle the correct form of the verb.

1. _____ Me (gusta / gustan) leer.

2. _____ ¿Te (gusta / gustan) los gatos?

3. _____ Me (gusta / gustan) las flores.

4. _____ ¿Te (gusta / gustan) el vino tinto?

5. _____ Me (gusta / gustan) la clase de español.

6. _____ Me (gusta / gustan) ir de compras.

7. _____ ¿Te (gusta / gustan) los chocolates?

8. _____ Me (gusta / gustan) estudiar literatura.

1.3b Present tense of regular –ar verbs

A verb is the action word of a sentence, which states what the person is doing. You already saw the irregular verb *ser*. Now let's look at regular verbs in Spanish. Regular verbs are divided into three categories based on their endings: *–ar, –er* and *–ir*. Some examples are: *cantar* (to sing), *correr* (to run) and *escribir* (to write). These verbs are all in the infinitive form, which expresses the possible action without stating 'who' is performing the action. In English, the infinitives all start with 'to,' but in Spanish they have one of three verb endings. When you conjugate a verb, the infinitive form changes to agree with the subject or person performing the action. For example *cantar*, means 'to sing,' but it does not specify who sings. By conjugating the verb, we know who sings: *canto* (I sing), *cantas* (you sing), *canta* (he sings), *cantamos* (we sing), *cantan* (they sing). Notice how the ending of the verb changes depending on the subject.

In order to conjugate regular *–ar* verbs, you must first remove the *–ar* ending from the infinitive form. Then you are left with the stem of the verb, which is the same in all verb forms. Attached to the stem of the verb is a different ending based on the subject. Once the appropriate ending has been added, the verb has then been conjugated.

Infinitive	Stem of the Verb	Conjugated Verb
cantar	cant–	yo canto
estudiar	estudi–	tú estudias
trabajar	trabaj–	él trabaja

cantar

yo	cant**o**	*I sing*	nosotros	cant**amos**	*we sing*
tú	cant**as**	*you (fam.) sing*	vosotros	cant**áis**	*you (fam.) sing*
Ud.-él-ella	cant**a**	*you (form.) sing, he/she sings*	Uds.-ellos/as	cant**an**	*you (form.) sing, they sing*

In English, the subject pronouns are used with the verb since there are only two forms (sing and sings). In Spanish, the endings are distinct in each form based on the subject. Since the ending already indicates who is performing the action, the subject pronouns are often omitted. For example, if the verb ends in 'o,' the only possible subject is *yo*. When subject pronouns are used in the third person singular (*él, ella, usted*) and plural (*ellos, ellas, ustedes*), you can have three subject pronouns for the same conjugation. Then the subject pronouns can be used to clarify or emphasize who is doing the action. For example: *Él canta y ella baila.* (He sings and she dances).

The conjugation of *canto* expresses the following in English, depending on the context: I sing (present), I do sing (present emphatic) and I am singing (present progressive).

F. Identificar   Mark (X) the subject pronoun that applies.

	yo	tú	él/ella	nosotros	ellos/ellas
1. Estudiamos español.				X	
2. Levantas pesas.		X			
3. Navego por internet.	X				
4. Esquían en Colorado.					X
5. Descansas los sábados.		X			
6. Estudia psicología.			X		
7. Tomamos tres clases.				X	
8. Toca la trompeta.			X		

G. Pronombres personales   Write the appropriate subject pronoun (*yo, tú, él, nosotros* or *ellos*) before each conjugated verb.

1. *Él* canta.
2. Tu bailas.
3. Yo toco.
4. Nosotros nadamos.
5. Ellos estudian.
6. Tu tomas.
7. Yo miro.
8. Nosotros hablamos.
9. Ellos dibujan.

H. ¿Qué hacen?   Look at the following images and indicate what these people are doing. Remember to conjugate the verbs according to the subject.

| esquiar | levantar pesas | nadar |
| patinar | escalar montañas | andar en bicicleta |

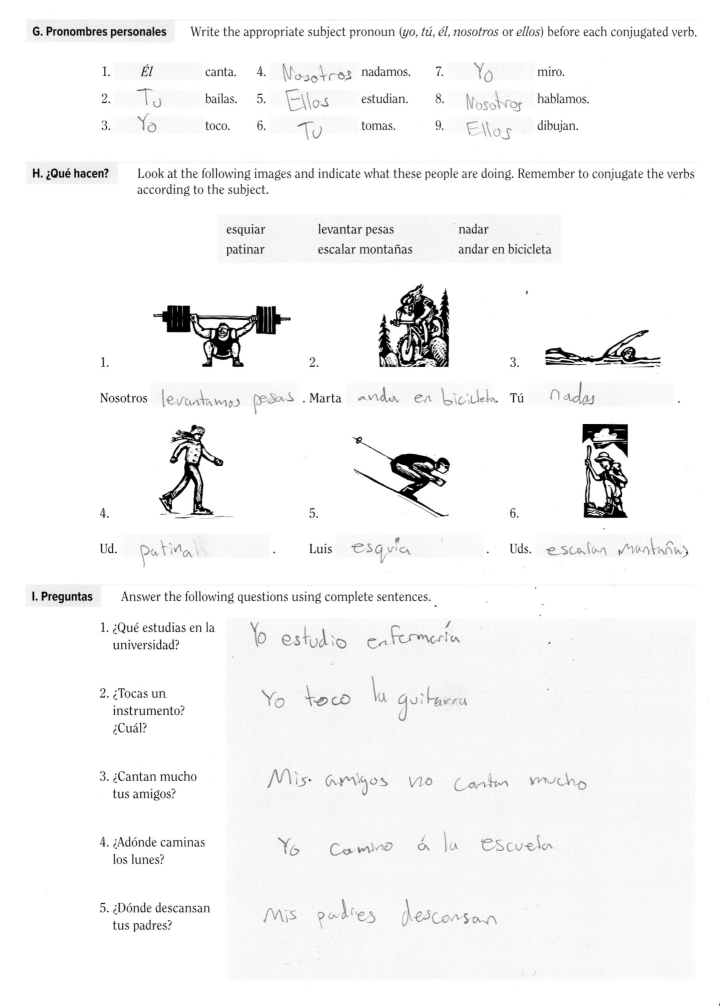

1. Nosotros levantamos pesas.
2. Marta anda en bicicleta.
3. Tú nadas.

4. Ud. patinah.
5. Luis esquía.
6. Uds. escalan montañas.

I. Preguntas   Answer the following questions using complete sentences.

1. ¿Qué estudias en la universidad?

Yo estudio enfermería

2. ¿Tocas un instrumento? ¿Cuál?

Yo toco la guitarra

3. ¿Cantan mucho tus amigos?

Mis amigos no cantan mucho

4. ¿Adónde caminas los lunes?

Yo camino á la escuela

5. ¿Dónde descansan tus padres?

Mis padres descansan

1.4 Tiempo y fechas

Cultura: Climate, Where is Spanish spoken?
Vocabulario: Weather terms, Numbers 200-1000 / Ordinals
Gramática: Cardinal and ordinal numbers, Dates

A. El tiempo en México

GR 1.4a

This weather map is for July 1st in Mexico. Use the information on the map to fill in the first two columns below. Then, check today's weather online for these Mexican cities and fill in the remaining columns.

Tijuana 28

La Paz 33

Monterrey 31

Guadalajara 24

D.F. 17

Mérida 33

hace fresco   hay niebla
hace sol   llueve
hace viento   nieva

hace (mucho) calor   hace mal tiempo
hace (mucho) frío   está despejado
hace buen tiempo   está nublado

	El tiempo 1/7	La temperatura 1/7	El tiempo hoy	La temperatura hoy
Ciudad de México				
Guadalajara				
Monterrey				
Tijuana				
Mérida				
La Paz				

B. ¿Qué tiempo hace en...?

GR 1.4a

Using information from the previous activity, choose two Mexican cities and describe today's weather in each one. Use as many of the weather phrases as you can!

Hoy en La Paz hace mal tiempo. Hace mucho frío, está nublado y llueve, pero no hace viento.

Ciudad #1

Ciudad #2

C. Imágenes

GR 1.4a

Look at the images below and write a short caption for each one describing the weather and anything else you think is relevant. Be as thorough as possible and guess what season you think it might be.

la primavera   el verano   el otoño   el invierno

1.

2.

3.

4.

D. Las estaciones

Determine which season (*la primavera, el verano, el otoño, el invierno*) it would be in the following countries during the months given. Remember to consider where they are each located in the world.

En Perú, en enero es verano.

1. En México, en octubre es

2. En Argentina, en julio es

3. En los EE.UU., en abril es

4. En Chile, en febrero es

5. En Uruguay, en agosto es

6. En España, en mayo es

E. ¿Hace frío o calor?

GR 1.4b

With a partner, take turns reading the temperatures (in Celsius) below. Then, decide between the following statements: *hace (mucho) calor, hace fresco, hace (mucho) frío.*

Hace 35 grados centígrados.
Hace mucho calor.

| 25° | -11° | 31° | -1° | 10° | 38° |

Now, write six different temperatures in degrees centigrade in the box. Alternate reading a temperature in Spanish to your partner following the model above and having your partner respond in Spanish whether it is (very) cold, (very) hot or cool.

F. Me gusta cuando...

GR 1.4b

Write a sentence about a kind of weather you like and another about weather you dislike.

Me gusta cuando hace mucho frío.
No me gusta cuando llueve.

G. ¿Qué tipo de clima te gusta?

GR 1.3a

GR 1.4a

Ask three classmates about the kind of weather they like and write their opinions down in the boxes below.

Nombre	Le gusta cuando…	No le gusta cuando…

Now, put one classmate's information into sentences using gustar.

A Juan le gusta cuando hace calor y hace viento. No le gusta cuando nieva.

Gustar is a unique kind of verb. Its ending agrees with what comes after it. *Me gusta el sol* is literally 'The sun is pleasing to me.'

Here's how you can state what is pleasing to other people:

te gusta	is pleasing to you (informal)
le gusta	is pleasing to him/her
nos gusta	is pleasing to us
les gusta	is pleasing to you all/them

Buenos Aires, AR

H. En ciudades hispanas

GR 1.3b

Read the following texts about weather in various cities and answer the questions below.

Karina (Latacunga, EC): En Quito hace un poco de frío en el invierno, pero no tanto frío como un invierno en Michigan. Hace más o menos como 10 o 15 grados en el invierno y en el verano, que realmente no es el verano, sino que tenemos menos lluvia, más o menos como 18 grados, 20 grados. No es muy caliente.

Pilar (Burgos, ES): En Burgos hace muchísimo frío en invierno, no tenemos primavera ni otoño. En el verano hace calor, pero hacia agosto ya pueden cambiar las temperaturas como 20 grados desde el mediodía a la noche.

Nicole (Santiago, CL): El clima de Santiago es caliente en el verano, y en el invierno es lluvioso. En Santiago de Chile no tenemos un invierno de nieve; es húmedo; hay mucha lluvia. Puede salir el sol en cinco minutos, en cinco minutos se va[1] y vuelve a llover.[2]

Analía (Tegucigalpa, HN): Nuestra casa en Tegucigalpa está en una loma[3] y de ahí podemos ver la ciudad y las montañas que están enfrente. Así es que es muy bonito, siempre está fresco. Tal vez[4] uno o dos meses al año, febrero o marzo, son meses calurosos.

Mark (Gibraltar, UK): En Gibraltar tenemos buen tiempo, llueve bastante, sobre todo en invierno, pero también tenemos muchas horas de sol, nunca hace frío, nunca nieva. Tenemos un clima muy agradable.

---

[1] it leaves
[2] it starts raining again
[3] hill, ridge
[4] maybe

Burgos, ES

> **Nosotros and ellos verb endings.** You know the *yo*, *tú* and *él/ella* verb forms of *estudiar*. The *nosotros* and *ellos* forms are:
>
> | | |
> |---|---|
> | estudiamos | we study |
> | estudian | they study |
>
> The forms for *hacer* are:
>
> | | |
> |---|---|
> | hacemos | we do |
> | hacen | they do |

1. Circle the nosotros *verb forms in the texts above. Then, underline the* ellos *verb forms.*

2. In which city might it snow?

3. Which city has the greatest temperature change?

4. Which cities seem to have "eternal spring?"

5. Which cities have a decent amount of rain?

6. Who lives in the U.S.?

7. Where does the weather change quickly?

8. Which city's climate would you most enjoy? Why?

I. Días y meses Fill in the blanks with the missing day or month.

1. enero _____ marzo
2. viernes _____ domingo
3. lunes _____ miércoles
4. abril _____ junio
5. julio _____ septiembre
6. miércoles _____ viernes
7. octubre _____ diciembre

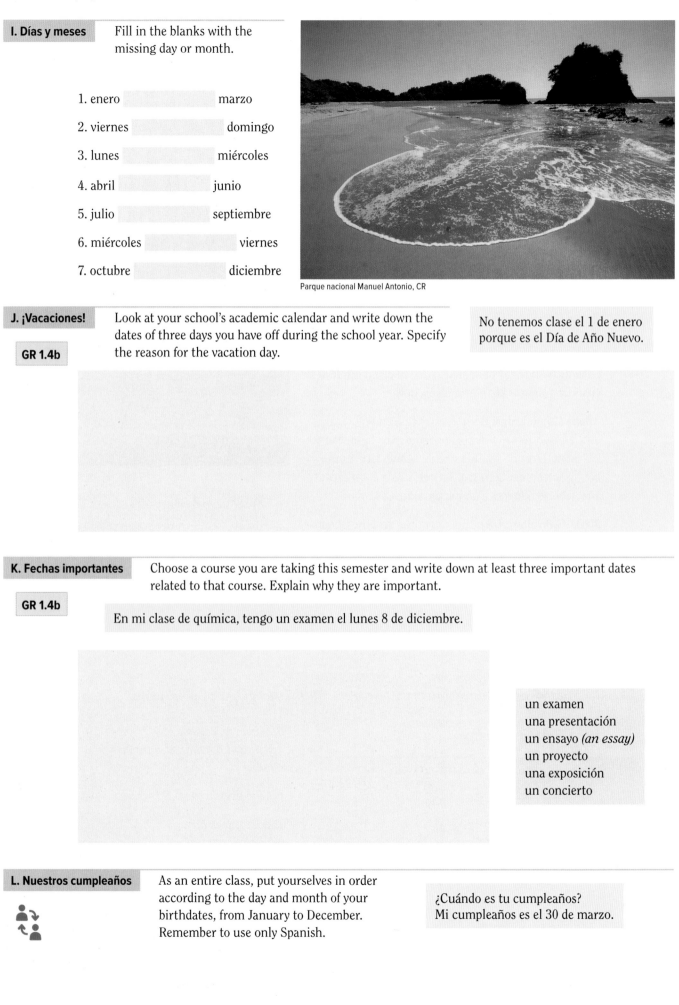

Parque nacional Manuel Antonio, CR

J. ¡Vacaciones!

GR 1.4b

Look at your school's academic calendar and write down the dates of three days you have off during the school year. Specify the reason for the vacation day.

No tenemos clase el 1 de enero porque es el Día de Año Nuevo.

K. Fechas importantes

GR 1.4b

Choose a course you are taking this semester and write down at least three important dates related to that course. Explain why they are important.

En mi clase de química, tengo un examen el lunes 8 de diciembre.

un examen
una presentación
un ensayo *(an essay)*
un proyecto
una exposición
un concierto

L. Nuestros cumpleaños

As an entire class, put yourselves in order according to the day and month of your birthdates, from January to December. Remember to use only Spanish.

¿Cuándo es tu cumpleaños?
Mi cumpleaños es el 30 de marzo.

M. Días feriados

GR 1.4b

Write the dates for the holidays below. On which days of the week do they fall this year?

el Día de los Enamorados *(Valentine's Day)*, el lunes - el 14 de febrero

el día	la fecha

la Navidad *(Christmas)*

el Día del Trabajo *(Labor Day)*

el Día de Año Nuevo *(New Year's Day)*

el Día de Acción de Gracias *(Thanksgiving)*

el Día de la Madre

tu cumpleaños

Dates in Spanish are given by day / month: '3/4' refers to April 3rd, not March 4th. Years are different, too: the entire number is spoken as '1, 993' *(mil novecientos noventa y tres)*, rather than '19-93.'

Now, choose three of the dates above (or another one), and write three sentences stating their days and dates.

Este año la Navidad es el sábado 25 de diciembre.

N. Fechas

GR 1.4b

Take turns with a partner converting these dates into Spanish and saying them out loud.

July 4, 1776   January 1, 1959

May 5, 1862   September 16, 1810

July 28, 1821   November 20, 1975

October 12, 1492   September 11, 1973

O. ¡Investígalo!

Pick a date listed in the previous activity that you don't know and look it up online. What is its significance?

San Cristóbal, MX

P. Feriados hispanos   Below are answers to the question: What are some unique city holidays that you are familiar with? Read the texts and answer the questions below.

Guanajuato, MX

Berta (Toledo, ES): En Madrid se celebra el día de La Almudena que es el 9 de noviembre, que es la patrona[1] de Madrid. En Toledo se celebra el Corpus Christi que es unos domingos después del Domingo de Resurrección[2] y ese día se saca una imagen del Cuerpo[3] de Cristo por las calles, hay una procesión, todo eso.

Augusto (Buenos Aires, AR): El Cervantino es una fiesta en Guanajuato desde el 6 de octubre al 26 de octubre, unos veinte días, donde hay un montón de[4] actividades culturales festejadas en honor a Cervantes, el gran autor de *El Quijote*.

Cecilia (Tarragona, ES): Una de las fiestas, por las que Valencia es conocida, son las Fallas. Se celebran en marzo, del 15 al 19 de marzo. Las Fallas son como unos monumentos hechos en cartón.[5]

Miluska (Lima, PE): Bueno, obviamente el día de nuestra independencia que lo celebramos el 28 de julio, como el 4 de julio en los EE.UU.

Francisco (La Habana, CU): Bueno, el Cinco de Mayo. Yo viví[6] en Puebla, México, y ahí es donde se hizo famoso ese día la batalla[7] del Cinco de Mayo.

Yolanda (Mora de Ebro, ES): Sí, hay algunas. Me gustan las Navidades. Me gusta también San Juan, que se celebra en Cataluña, la noche del 24 de junio.

[1] patron saint
[2] i.e., Easter (between March 22 and April 25)
[3] body
[4] *un montón de* – lots of
[5] cardboard

[6] I lived
[7] battle

1. *Number the holidays mentioned according to when they occur during the year, from earliest to latest.*

___ el Cinco de Mayo   ___ el Día de la Independencia (Lima)

___ el Corpus Christi   ___ las Fallas

___ el Cervantino   ___ la Navidad

___ el día de La Almudena   ___ la Noche de San Juan

2. *Which holiday would literature enthusiasts enjoy?*

3. *Which ONE holiday is celebrated in the summer?*

4. *Which holiday is like the 4th of July in the U.S.?*

5. *Which holidays are religious?*

6. *Which holiday would you like to celebrate? Why?*

Q. Tu feriado favorito

Write down the day your favorite holiday falls on this year. Exchange information with four classmates. Which holiday is the most popular in your class?

¿Cuál es tu feriado favorito? Mi feriado favorito es el día de La Almudena, el 9 de noviembre.

Yo	Compañero/a #1	Compañero/a #2

Compañero/a #3	Compañero/a #4	La clase

R. Conversación

GR 1.2c

Spend 20-30 seconds reviewing the questions below. Then have a conversation with another student you have not yet met. Greet each other in Spanish and ask each other as many questions as possible. Answer them too, of course! See how many questions you can get through in the time your instructor allows.

La Paz, MX

¿Cómo te llamas?	¿Cuántos años tienes?	¿En qué año estás en la universidad?
¿Cuál es tu número de teléfono?	¿Cuál es tu email?	¿Dónde vives?
¿De dónde eres?	¿Cómo es tu ciudad?	¿Cómo es el clima en tu ciudad?
¿Dónde estudias?	¿Qué estudias?	¿Qué clases tomas este semestre?
¿Cuándo tomas tus clases?	¿Te gustan tus clases?	¿Cuál es tu clase favorita?

S. ¡A escribir!

Write an essay of three paragraphs giving the following information:

- your basic information (name, age, year at school, telephone number, email, street address)

- a description of your hometown (what you like/dislike about it and the kind of weather you usually have)

- where and what you study this semester (courses, schedule, favorite and least favorite courses)

Review the topics in this unit including information collected in various activities and model texts in order to help you write an essay.

Me llamo Samantha. Tengo 21 años. Estoy en el cuarto año de la universidad. Mi teléfono es el (812) 227–7856. Mi correo electrónico es samdv547@gmail.com. Vivo en la calle 10, número 254, en Bloomington, Indiana.

Soy de Chicago, Illinois. Chicago es una ciudad grande y diversa. Es muy urbana y turística. Está en el centro de los Estados Unidos, al lado del lago Michigan. Hace muchísimo calor en el verano y mucho frío en el invierno, y siempre hace viento.

Estudio en la Universidad de Indiana, en Bloomington. Estudio música, específicamente piano y composición. Este semestre tomo tres clases: música (teoría) 502, composición 690 y cine 425. Las clases de música y de composición son los martes y los jueves, a las 9:00 de la mañana y a las 2:15 de la tarde. La clase de cine es los miércoles a las 7:30 de la tarde. Me gusta mucho mi clase de composición, pero no me gusta la clase de teoría.

Vocabulary 1.4

las estaciones	seasons	**enero**	January	**julio**	July
el invierno	winter	**febrero**	February	**agosto**	August
el mes	month	**marzo**	March	**septiembre**	September
el otoño	fall	**abril**	April	**octubre**	October
la primavera	spring	**mayo**	May	**noviembre**	November
el verano	summer	**junio**	June	**diciembre**	December

		doscientos	two hundred	**seiscientos**	six hundred
¿Qué tiempo hace?	What's the weather like?	**trescientos**	three hundred	**setecientos**	seven hundred
Está despejado	It's clear	**cuatrocientos**	four hundred	**ochocientos**	eight hundred
Está lloviendo	It's raining	**quinientos**	five hundred	**novecientos**	nine hundred
Está nevando	It's snowing				
Está nublado	It's cloudy	**primero**	first	**sexto**	sixth
Hace buen/mal tiempo	It's nice/bad weather	**segundo**	second	**séptimo**	seventh
Hace (mucho) calor	It's (very) hot	**tercero**	third	**octavo**	eighth
Hace fresco	It's cool	**cuarto**	fourth	**noveno**	ninth
Hace (mucho) frío	It's (very) cold	**quinto**	fifth	**décimo**	tenth
Hace sol	It's sunny				
Hace viento	It's windy	**¿Cuándo es tu cumpleaños?**		When is your birthday?
Llueve	It rains	**Mi cumpleaños es el**	_22 de enero_	My birthday is
Nieva	It snows	**(No) Le gusta**		He/She likes (doesn't like)

1.4a Weather expressions

The verb _hacer_ is used to express many weather conditions. Since it describes the weather, it is conjugated in the third-person singular to agree with _el tiempo_.

¿Qué tiempo hace?
(_What's the weather like?_)

Hace buen (mal) tiempo.	_The weather is nice (bad)._
Hace calor.	_It's hot._
Hace fresco	_It's cool._
Hace frío.	_It's cold._
Hace sol.	_It's sunny._
Hace viento.	_It's windy._

A. Identificar   Read a description of the weather in Michigan and underline all the different weather conditions used.

En el invierno hace frío y nieva, pero a veces hace sol. Llueve cada dos semanas en la primavera. Voy a la playa en el verano porque está despejado y hace mucho calor. En el otoño hace buen tiempo y también hace fresco.

B. Tus preferencias   Write the weather conditions you underlined above in the appropriate column based on the weather you like or dislike.

Me gusta cuando

Hace Sol   Hace Fresco
Esta despejado
Hace buen tiempo

No me gusta cuando

Hace Frio
Hace nieve
Hace mucho calor

C. Asociaciones   Write the season and weather condition you associate with the following verbs.

	La estación	El tiempo
1. tomar el sol	Verano	Hace buen tiempo/Hace calor hace
2. jugar béisbol	El otoño	
3. esquiar	El invierno	
4. ir de pesca	El verano	
5. empezar clases	El otoño	

D. ¿Qué llevas?   Indicate under what weather conditions you wear the following clothing items.

1. Llevo un traje de baño cuando _____ .

2. Llevo una sudadera cuando _____ .

3. Llevo pantalones cortos cuando _____ .

4. Llevo un abrigo y guantes cuando _____ .

1.4b Cardinal numbers and dates

Cardinal numbers are the numbers used for counting. Notice that 1-30 are all written as one word and that 16 (*dieciséis*), 22 (*veintidós*), 23 (*veintitrés*) and 26 (*veintiséis*) have a written accent. The numbers 31-99 are written as three words joined by *y* (and).

0 cero	10 diez	20 veinte	30 treinta
1 uno	11 once	21 veintiuno	31 treinta y uno
2 dos	12 doce	22 veintidós	32 treinta y dos
3 tres	13 trece	23 veintitrés	40 cuarenta
4 cuatro	14 catorce	24 veinticuatro	50 cincuenta
5 cinco	15 quince	25 veinticinco	60 sesenta
6 seis	16 dieciséis	26 veintiséis	70 setenta
7 siete	17 diecisiete	27 veintisiete	80 ochenta
8 ocho	18 dieciocho	28 veintiocho	90 noventa
9 nueve	19 diecinueve	29 veintinueve	100 cien

The numbers 1, 21, 31, 41, etc. must agree in gender when used before a noun. That is, if you are referring to a certain number of things or people you must pay attention to the gender of what you are referring to. When used before a masculine noun, the letter *o* is dropped. For the number twenty-one, an accent is also added to the letter *u*. For example: *un libro, veintiún profesores, treinta y un carros*. When using these numbers before a feminine noun the letter *o* changes to an *a* so that it agrees with the feminine gender. For example: *una mesa, veintiuna mujeres, treinta y una fotografías*.

Dates in Spanish

The dates in Spanish are typically written as day/month/year instead of month/day/year. Cardinal numbers are used to express the days of month. The only time an ordinal number is used if for the first of the month.

¿Cuál es la fecha de hoy? ¿Qué día es hoy?	Hoy es el primero de marzo. *(It's the first of March.)* Hoy es el dos de febrero. *(It's February 2nd.)* Hoy es el treinta de noviembre. *(It's November 30th.)*

Another difference you will notice is how the years are said in Spanish. Instead of using double-digit numbers such as 19-90, the entire number is spoken as 1,990. For example: July 14th, 2017 is *el catorce de julio de dos mil diecisiete* and February 6th, 1989 is *el seis de febrero de mil novecientos ochenta y nueve*.

Here are the months of the year in Spanish. Notice that they are not capitalized.

enero	*January*	mayo	*May*	septiembre	*September*
febrero	*February*	junio	*June*	octubre	*October*
marzo	*March*	julio	*July*	noviembre	*November*
abril	*April*	agosto	*August*	diciembre	*December*

E. ¿Qué tienes?   Indicate the number you have of the following things by writing out the cardinal numbers in words.

1. ¿Cuántos créditos tienes este semestre?   Tengo *diecisels* .

2. ¿Cuántos estudiantes hay en tu clase de español?   Hay *dieciocho* .

3. ¿Cuántos años tienes?   Tengo *veinte* .

4. ¿Cuántos amigos tienes en Facebook?   Tengo *cuarenta -* .

5. ¿Cuántas clases tienes este semestre?   Tengo *4 clases* .

F. Fechas personales   Complete the following statements by writing out the dates in Spanish.

1. Hoy es el _veintidós de Septiembre_ .

2. Mi cumpleaños es el _6 de Marzo_ .

3. Navidad es el _veinticinco de Diciembre_ .

4. Mañana es el _veintitrés de Septiembre_ .

5. El cumpleaños de mi amigo es el _Veintidós de enero_ .

G. Secuencias   Complete the sequence of numbers by writing the missing cardinal number.

1. cinco, diez, quince, _____ , veinticinco, treinta

2. diez, veinte, _____ , cuarenta, cincuenta, sesenta

3. quince, treinta, _____ , sesenta, setenta y cinco, noventa

4. once, veintidós, treinta y tres, cuarenta y cuatro, _____ , sesenta y seis

5. treinta y seis, cuarenta y ocho, sesenta, _____ , ochenta y cuatro, noventa y seis

H. ¿Cómo se escribe?   Write out the following numbers.   1: *uno*

9:	37:
84:	98:
56:	13:
73:	42:
29:	61:

I. Los días de la semana   Write the missing days of the week.

1. Hoy es lunes. Mañana es _____ .

2. Hoy es sábado. Mañana es _____ .

3. Hoy es jueves. Mañana es _____ .

4. Hoy es miércoles. Mañana es _____ .

J. Meses   Write two months of the year when the following weather conditions most likely occur.

1. Hace calor en _____ y _____ .

2. Llueve en _____ y _____ .

3. Está nublado en _____ y _____ .

4. Hace mucho frío en _____ y _____ .

K. Fechas escritas   Write these dates out in Spanish. Remember that dates are typically written as day/month.   30/11 – *El treinta de noviembre*

14/7

22/2

1/10

7/4

23/9

17/3

1.4c Ordinal numbers

While cardinal numbers translate as 'one' and 'two,' an ordinal number translates as 'first' and 'second.'

primero/a, primer	*first*	sexto/a	*sixth*
segundo/a	*second*	séptimo/a	*seventh*
tercero/a, tercer	*third*	octavo/a	*eighth*
cuarto/a	*fourth*	noveno/a	*ninth*
quinto/a	*fifth*	décimo/a	*tenth*

When an ordinal number is used before a noun, it must agree in number and gender. For example: *el segundo año* (the second year), *la quinta actividad* (the fifth activity). The ordinal numbers for first and third (*primero* and *tercero*) are shortened to *primer* and *tercer* when used before a singular masculine noun. For example: *el primer año, el tercer día.* Notice that the letter *o* is dropped.

L. Meses   Complete these statements by writing the appropriate month of the year.

1. El segundo mes del año es _____ .

2. El octavo mes del año es _____ .

3. El sexto mes del año es _____ .

4. El tercer mes del año es _____ .

5. El séptimo mes del año es _____ .

6. El noveno mes del año es _____ .

7. El primer mes del año es _____ .

M. Número ordinal   Write the Arabic number format of each ordinal number given.

segundo / 2nd

quinto: _____   primero: _____

séptimo: _____   octavo: _____

décimo: _____   tercero: _____

Note: In English, ordinal numbers are abbreviated as the Arabic number plus an ending (i.e., 2nd, 3rd, 4th). It is possible to do this in Spanish, too. Add *-er, -o,* or *-a,* depending on usage and gender: *primer* = 1er, *primero* = 1°, *primera* = 1^{a}, *segundo* = 2°, *segunda* = 2^{a}, etc.

N. Ordinales   Write out the spelling of each ordinal number given.

1° / primero

4°: _____ 9°: _____

2°: _____ 6°: _____

3°: _____ 10°: _____

O. Concordancia   Circle the correct ordinal number. Remember they must agree with the noun!

1. La (quinto / quinta) actividad.

2. El (cuarto / cuarta) párrafo.

3. El (primer / primera) capítulo.

4. La (segundo / segunda) pregunta.

Unit 1: ¡Besos y abrazos!   Cultural and Communication Goals

This sheet lists the communication goals and key cultural concepts presented in Unit 1 *¡Besos y abrazos!*. Make sure to look them over and check the knowledge and skills you have developed. The cultural information is found primarily on the website, though much is developed and practiced in the print *cuaderno* as well.

I can:

- [ ] use formal and informal greetings and goodbyes
- [ ] introduce myself with a few pieces of information
- [ ] ask people basic questions about themselves
- [ ] spell words in Spanish
- [ ] use numbers 1-1000
- [ ] read words aloud in Spanish with some success
- [ ] use question marks and exclamation points in Spanish
- [ ] put accents on question words when I need to
- [ ] recognize and say a variety of Spanish names
- [ ] pronounce a variety of Spanish city names correctly
- [ ] talk about basic things I like
- [ ] say what my favorite things are
- [ ] talk about classes I have and like/don't like
- [ ] anticipate what Spanish speakers might find different about my college/university
- [ ] describe my course schedule (dates, times, subjects)
- [ ] describe the weather in basics
- [ ] describe the weather in my home town/region
- [ ] translate between Fahrenheit and Celsius
- [ ] list the countries where Spanish is spoken
- [ ] use month names in Spanish
- [ ] say "first," "second," etc. (ordinal numbers) in Spanish
- [ ] ask for the date and say the date in Spanish
- [ ] say years in Spanish (such as what year I was born)

I can explain:

- [ ] different understandings of the term "America"
- [ ] some concepts of the USA that Spanish speakers may have
- [ ] what an *abrazo* and a *beso* is and some basics of when they are used
- [ ] what *simpatía* means
- [ ] the importance of titles in the Spanish-speaking world
- [ ] what *nombres* and *apellidos* are
- [ ] that accent marks are important and roughly how they work
- [ ] key differences in how universities are organized in Spanish-speaking countries
- [ ] where the Spanish language originated
- [ ] a little about the variation in Spanish that exists

Unit 2 Amigos y familia

Córdoba, AR

Unit 2 *Amigos y familia* (Friends and family)

In Unit 2 you will learn how to ask about and describe your own personal interests, such as what you do when you're not working, musical tastes, sports and more. You will also learn to describe your friends and family to people you meet in Spanish in a culturally-appropriate manner and to maintain short conversations on these topics.

Below are the cultural, proficiency and grammatical topics and goals:

Cultura	*Gramática*
Concepts of friendship	2.1a Present tense of regular *–er* / *–ir* verbs
Family structure and roles	2.1b Irregular verbs in the *yo* form
Fútbol culture	2.2a Comparisons of inequality
Music in the Spanish-speaking world	2.2b Comparisons of equality
	2.3a Possessive adjectives
Comunicación	2.3b *Tener* and *venir*
	2.3c Stem-changing verbs
Expressing personal interests	2.4a Verb + infinitive constructions
Describing common activities	2.4b *Estar* with adjectives of emotion
Describing what you know	2.4c Present progressive
Describing your family and friends	

2.1 Intereses

Cultura: *Pasatiempos*, Work vs. leisure, Soccer culture
Vocabulario: Verbs for activities
Gramática: *−er / −ir* verbs, Irregular verbs in *yo* form

A. ¿Qué hacen? Look at the sentences below and check the box corresponding to who is performing the activity. Then, write the English meanings.

GR 1.3b

	ella	ellos	nosotros	*English meaning*
1. Toman un café.	☐	☐	☐	
2. Dibuja para su clase de arte.	☐	☐	☐	
3. Hablamos por teléfono.	☐	☐	☐	
4. Estudia negocios.	☐	☐	☐	
5. Bailamos los sábados.	☐	☐	☒	
6. Escuchan música.	☐	☒	☐	
7. Nadan cuando hace sol.	☐	☒	☐	
8. Andamos en bicicleta.	☐	☐	☒	

B. Completar Use the prompts below to create sentences about activities you, your friends and your family enjoy doing. Choose different activities for each sentence.

Yo

Mis amigos y yo

Mis amigos

Mi familia

C. Actividades Write down what the people indicated are doing. Remember to make the verb endings agree with the subjects!

GR 1.3b

dibujar	mirar televisión	andar en bicicleta	charlar	hablar por teléfono
descansar	levantar pesas	tocar la guitarra	bailar	navegar por internet

Yo
ando en bicicleta

Juan
toca la guitarra

Mis amigos
miran televisión

Mi abuela
descansa

Alejandra y yo
Charlamos

Tú
levantas pesas

D. Pronunciación

With a partner, practice saying these words aloud as a native Spanish speaker would.

béisbol	golf	restaurante
café	internet	tenis
conversar	música	videojuegos
explorar	novela	visitar
fútbol	poema	voleibol

Guanajuato, MX

E. Un día típico

GR 1.3b

Write a sentence that includes three activities you do on a typical weekday in chronological order. You can use verbs from the previous page. Then, share them with a partner and write down what your partner does.

En un día típico, estudio, escucho música y corro.

En un día típico, Luis levanta pesas, habla por teléfono y estudia.

Remember to change the verb forms from what you do *(yo estudio)* to express what your partner does *(Luis estudia)*.

F. ¿Qué haces tú?

GR 1.3b

Write the verbs from the previous activity in the three boxes below. Then, get up and ask your classmates if they do the same things. Write the names of any classmates who do what you do *en un día típico.*

En un día típico, yo estudio. ¿Estudias tú en un día típico? Sí, estudio en un día típico. / No, no estudio en un día típico.

Zihuatanejo, MX

Actividad 1:

Actividad 2:

Actividad 3:

G. Los fines de semana

GR 1.2a

GR 2.1a

Write the appropriate subject pronoun *(yo, tú, él, nosotros* or *ellos)* before each conjugated verb. Then check the ones you enjoy doing on the weekends.

Pronombre personal		¿Te gusta?
Ellos	salen con amigos.	☒
Yo	leo las noticias *(news).*	☐
Yo	corro 5 kilómetros.	☐
Nosotros	hacemos ejercicio.	☒
Tu	ves una película.	☒
Ellos	escriben la tarea.	☐
El	va de compras en internet.	☒
Nosotros	comemos en restaurantes.	☒

salir	to go out
correr	to run
escribir	to write
leer	to read
comer	to eat
hacer ejercicio	to exercise
ir de compras	to go shopping
ver una película	to watch a movie

H. ¿Qué hace María?

Read what María (Buenos Aires, AR) enjoys doing and answer the questions that follow.

Me gusta leer. Depende también de la época del año. Si es verano, mi pasatiempo número uno es ir a la playa,[1] leer y caminar en la playa. En invierno, bueno, la literatura es mi pasión, entonces me gusta leer, trabajar y hacer investigación en mi tiempo libre. Tal vez[2] para muchas personas eso es trabajo, pero para mí es diversión. Lo hago porque me gusta.

[1] beach
[2] maybe

Madrid, ES

1. ¿Qué hace María en el invierno?

2. ¿Adónde va María cuando hace calor?

3. ¿Cuál es su pasión?

4. ¿Qué hace María en el verano?

I. ¿Qué te gusta hacer?

GR 1.3a

Complete the following statements by writing at least two activities you enjoy doing each season. Then, share your answers with a partner and write what your partner does. Follow the model closely.

¿Qué te gusta hacer en el otoño?

Me gusta jugar béisbol y salir con mis amigos.

	Me gusta…	Le gusta…
En el otoño	disfracarme para Halloween	jugar fútbol americano
En el verano	nadar en la playa	me gusta nadar
En la primavera	ver las flores	ver que correr
En el invierno	hacer galletas	

J. Los intereses   Below are responses to the question: What do you do to relax during your free time? Read them and complete the activities that follow.

Carmen (Denia, ES): Pues, tomarme un café con mis amigas, hablar. Me gusta mucho hablar con mis amigas.

Luis (Denia, ES): El correr[1] me relaja, pero bueno, no solamente corro, sino también me gusta ver la tele, escuchar buena música, estar con la familia.

José Luis (Denia, ES): Leer y descansar un poco. La siesta es fundamental. Después de comer, leo un poco, media horita en el sofá, y me relajo.

[1]   running

Yolanda (Mora de Ebro, ES): Voy a la piscina[2] a nadar, y me gusta leer libros, ver la tele y navegar por internet.

Cristina (Lérida, ES): ¿Para relajarme? Nado. Voy a nadar. También me gusta mucho cuando llego por la noche a casa, me pongo música lenta y tranquila.

Nurya (Denia, ES): Para relajarme, me gusta hablar con mis compañeras de piso. Por ejemplo, me gusta a veces ver la tele, otras veces me distraigo un rato[3] por internet, otras veces ando en bicicleta.

[2]   swimming pool
[3]   I amuse myself a bit

Museo Nacional de Antropología, Ciudad de México, MX

1. *Underline your three favorite activities mentioned in the texts.*

2. *Circle all verbs that are in the present tense yo form.*

3. *Which two people enjoy swimming?*

4. *Which two people do NOT mention doing some form of exercise to relax?*

5. *Which two people use their computer to relax?*

6. *Which three people mention spending time with other people?*

> Yo hablo con amigos y Pedro habla con amigos.
> Alejandra baila muy bien, pero yo no bailo.
> Yo corro, pero Alejandra y Pedro no corren.

7. *Now, write three sentences stating similarities and differences between you and two of the people above.*

K. Completar   Write a suitable object next to each verb. Use each object only once.

una película	en la playa	en bicicleta	pesas
con amigos	fútbol	por internet	ejercicio
de compras	música	un libro	un café

1. charlar   *con amigos*
2. ver   *una película*
3. escuchar   *música*
4. leer   *un libro*
5. hacer   *ejercicio*
6. tomar   *un café*

7. andar   *en bicicleta*
8. ir   *de compras*
9. caminar   *en la playa*
10. levantar   *pesas*
11. navegar   *por internet*
12. jugar   *fútbol*

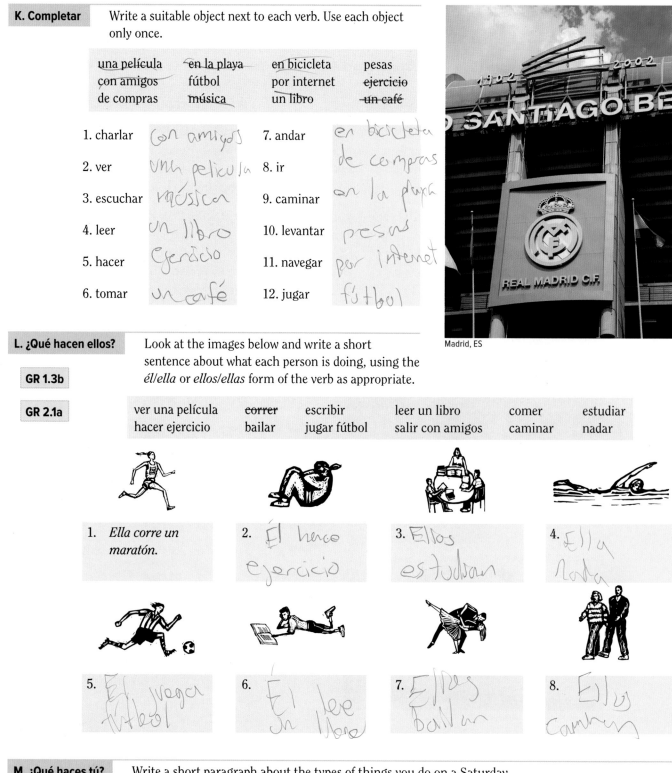

Madrid, ES

L. ¿Qué hacen ellos?

GR 1.3b

GR 2.1a

Look at the images below and write a short sentence about what each person is doing, using the *él/ella* or *ellos/ellas* form of the verb as appropriate.

| ver una película | correr | escribir | leer un libro | comer | estudiar |
| hacer ejercicio | bailar | jugar fútbol | salir con amigos | caminar | nadar |

1. *Ella corre un maratón.*

2. *Él hace ejercicio*

3. *Ellos estudian*

4. *Ella nada*

5. *Él juega fútbol*

6. *Él lee un libro*

7. *Ellas bailan*

8. *Ellos caminan*

M. ¿Qué haces tú?   Write a short paragraph about the types of things you do on a Saturday.

GR 1.3b

GR 2.1a

Los sábados veo los partidos de fútbol, juego videojuegos con mis amigos, y por la noche, vemos una película.

N. Frecuencia

GR 1.3b

Look at the table below and indicate how often you do each activity. Then, when your instructor tells you to, ask other students how often they do these activities and write their names in the blanks provided.

¿Con qué frecuencia miras la televisión?
Siempre miro la televisión. ¿Y tú?
A veces miro la televisión.

	siempre	a veces	nunca
tomar un café	☐	☐	☐
navegar por internet	☐	☐	☐
hablar por teléfono	☐	☐	☐
estudiar negocios	☐	☐	☐
bailar los sábados	☐	☐	☐
escuchar música	☐	☐	☐
nadar cuando hace sol	☐	☐	☐
andar en bicicleta	☐	☐	☐

O. ¿Qué haces cuando...?

GR 1.4a

Answer the questions below. Then, share your answers in small groups and write what your classmates do. Remember to conjugate the verbs in the appropriate forms.

¿Qué haces cuando llueve?
Leo un libro.

¿Qué haces cuando …	Yo …	Mis compañeros …
llueve?	Yo veo películas	
hace sol?	Yo camino	
nieva?	Yo duermo	
hace mal tiempo?	Yo lloro	
hace viento?	Yo	
hace mucho frío?	Yo b	

P. ¿Qué prefieres?

Work with a partner and ask them their preferences. Be ready to share this information with the class.

¿Prefieres dibujar o escribir?

¿Prefieres andar en bicicleta o caminar?

¿Prefieres trabajar o estudiar?

¿Prefieres tomar café o agua?

¿Prefieres escuchar música o tocar un instrumento?

¿Prefieres descansar o charlar con amigos?

Mérida, ES

Q. En familia

Below are answers to the question: What do you like to do in your free time? Read the responses and complete the activities that follow.

Gerardo (Puebla, MX): En el verano me gusta mucho ir a la playa. Los domingos, la familia mexicana va a la playa. Nosotros nunca nadamos, pero siempre cocinamos y conversamos. Platicamos de tonterías[1] o de chismes que pasan entre nuestros amigos. Nos encanta hacer eso como familia.

---

[1] *platicamos de tonterías* – we joke around

Yolanda (Holland, MI): Me gusta salir a comer con mi familia y también visitar a mis padres o a otros familiares. Me gusta ir a la tienda[2] a hacer compras. Me gusta hacer ejercicio, dar un paseo o ir en bicicleta; esas son mis cosas favoritas.

---

[2] store

Pilar (Reynosa, MX): Cuando no trabajo, me gusta estar en mi casa, tratar[3] de avanzar en las tareas domésticas,[4] leer y pasar tiempo con mi familia. También me gusta andar en bicicleta o ver películas en casa.

---

[3] *tratar* – to try, attempt
[4] household chores

Deià, Mallorca, ES

1. Circle the uses of gusta *and* encantar *(to really like).*

2. Underline five other conjugated verbs in the texts.

3. Who mentions a form of exercise?

4. Who spends time with relatives?

5. Who prefers to stay at home?

6. Write a two sentence summary in English of one text.

R. Familia y amigos

GR 1.3a

Write three sentences about what you do with your family or friends. Be sure to use the *nosotros* form of verbs. You can also use *nos gusta(n)* or *nos encanta(n)*.

S. Veinte preguntas Choose one of your favorite activities and answer the questions in complete sentences below.

El pasatiempo es… *Jugar video juegos*

GR 1.2c

¿Con quién haces la actividad? *Con mis amigos*

¿Cuándo haces la actividad? *Después de mis clases*

¿Dónde haces la actividad? *En mi casa*

¿Es la actividad un deporte? *No es un deporte*

¿Qué necesitas para hacer la actividad? *Necesito un Xbox*

¿Es la actividad gratis o tienes que pagar? *Tengo que pagar*

Now, get into a group of three or four students and try to guess each other's pasatiempos.
Ask the questions above and other simple ones you can think of.

T. ¡A escribir!

Write an essay about your activities and interests as well as those of your friends and family. Include how often each activity is done. Use the models and speaker narratives from this unit in order to compose your essay.

Verb endings: review. Remember that the endings of the verbs need to agree with the subject (their corresponding person).

Forms for *caminar*:
(yo) camino	(nosotros/as) caminamos
(tú) caminas	
él/ella camina	ellos/ellas caminan

Forms for *correr*:
(yo) corro	(nosotros/as) corremos
(tú) corres	
él/ella corre	ellos/ellas corren

Also remember that *salir*, *hacer* and *tener* have irregular *yo* forms:
(yo) salgo	(tú) sales
(yo) hago	(tú) haces
(yo) tengo	(tú) tienes

Pamplona, ES

Mi pasatiempo favorito es jugar fútbol. Me encanta jugar fútbol. Los sábados siempre juego fútbol con mis amigos. En invierno jugamos en el gimnasio porque hace frío. Mis amigos y yo también salimos todos los viernes. Comemos en un restaurante, vemos una película y a veces vamos a bailar.

A mis amigas y a mí nos gusta pasar tiempo juntas. Siempre hablamos por teléfono, tomamos un café o vamos de compras. A mí también me gusta leer libros y escuchar música, especialmente en el invierno. En el verano voy a la playa. No me gusta hacer ejercicio. Nunca levanto pesas, pero sí corro a veces.

Vocabulary 2.1

el pasatiempo	pastime; hobby	**ir de compras**	to go shopping
andar en bicicleta	to ride a bicycle	**oír**	to hear
aprender	to learn	**jugar (ue)* fútbol**	to play soccer
bailar	to dance	**leer (un libro)**	to read (a book)
beber	to drink	**levantar pesas**	to lift weights
caminar en la playa	to walk on the beach	**mirar televisión**	to watch television
charlar con amigos	to chat with friends	**nadar**	to swim
comer	to eat	**navegar por internet**	to surf the internet
correr	to run	**salir con amigos**	to go out with friends
descansar	to rest	**tocar la guitarra**	to play the guitar
dibujar	to draw	**tomar**	to take; to drink
escribir	to write	**trabajar**	to work
escuchar música	to listen to music	**traer**	to bring
estudiar	to study	**ver una película**	to see a movie
hablar (por teléfono)	to talk (on the phone)	**viajar**	to travel
hacer ejercicio	to do exercise	**visitar**	to visit

*Note: letters in parentheses after a verb, such as here, represent a stem change that the verb goes through during conjugation. You will learn about stem changes in the present tense in grammar section 2.3c.

2.1a Present tense of regular –er / –ir verbs

You already saw how –ar verbs are conjugated. Now you will learn how to conjugate –er and –ir verbs. Remember that verbs are divided into three categories (–ar, –er and –ir) based on the infinitive ending of the verb. The infinitive form of the verb expresses the possible action but does not indicate who is performing the action. By conjugating the verb, you are able to tell who is performing the action (indicated by the verb ending you choose).

The conjugation process is the same as –ar verbs, but the endings are different. First, you remove the –er or –ir ending from the infinitive form. Then you are left with the stem of the verb, which is the same in all six verb forms. Finally, you attach the appropriate ending to the stem of the verb. Below are the conjugations of an –er verb and an –ir verb. Notice that the endings of –er and –ir verbs are all the same except in the *nosotros* and *vosotros* forms.

correr

yo	corr**o**	*I run*	nosotros	corr**emos**	*we run*
tú	corr**es**	*you (fam.) run*	vosotros	corr**éis**	*you (fam.) run*
Ud.-él-ella	corr**e**	*you (form.) run, he/she runs*	Uds.-ellos/as	corr**en**	*you (form.) run, they run*

escribir

yo	escrib**o**	*I write*	nosotros	escrib**imos**	*we write*
tú	escrib**es**	*you (fam.) write*	vosotros	escrib**ís**	*you (fam.) write*
Ud.-él-ella	escrib**e**	*you (form.) write, he/she writes*	Uds.-ellos/as	escrib**en**	*you (form.) write, they write*

Below is a review of regular verb endings in the present tense. Remember the infinitive verb ending (–ar, –er or –ir) determines which set of endings is attached to the stem. Notice that all verbs have the same ending in the yo form. The –er and –ir endings are also the same except in the *nosotros* and *vosotros* forms.

Present Tense Verb Endings

yo	**–o**	nosotros	**–amos, –emos, –imos**
tú	**–as, –es**	vosotros	**–áis, –éis, –ís**
él-ella-Ud.	**–a, –e**	ellos/as-Uds.	**–an, –en**

A. Identificar   Read the following paragraph and circle all of the conjugated verbs. Then write the infinitive form of the verbs you circled in the appropriate column.

(Estudio) en la universidad y (trabajo) también. Este semestre (tomo) tres clases. (Asisto) a clases los lunes, miércoles y viernes. Antes de la clase de español, (leo) las lecciones y (aprendo) los verbos nuevos. En clase, (escucho) al profesor, (practico) la pronunciación de los verbos y (escribo) composiciones. (Recibo) buenas notas porque (comprendo) muy bien al profesor. Nunca (vendo) mis libros porque a veces (decido) (usarlos) el próximo semestre.

-ar	-er	-ir
Estudiar	Leer	Asistir
Trabajar	Aprender	Escribir
Tomar	Comprender	Recibir
Practicar	Vender	Decidir
Escuchar	De	
Usar		

B. Pronombres personales   Write the appropriate subject pronoun (*yo, tú, él, nosotros* or *ellos*) before each conjugated verb.

1. yo leo.
2. él bebe.
3. Nellas comen.
4. Tu comes.
5. Yo vendo.
6. él escribe.
7. Ellas deciden.
8. Tu aprendes.
9. Nosotros vivimos.

C. Conjugar   Fill in the missing forms of the conjugated verbs.

	escuchar	correr	recibir
yo	escucho	Corro	Recibo
tú	escuhas	corres	Recibes
él, ella, Ud.	escuchan	corre	Reciben
nosotros	escuchamos	Corremos	recibimos
vosotros	escucháis	corréis	recibís
ellos, ellas, Uds.	escuchan	Corren	Reciben

D. Escoger   Circle the verb that best completes each sentence.

1. Tomás (escribe / corre) la composición.
2. Yo no (vendo / comprendo) japonés.
3. Esteban y Marcos (comen / beben) pizza.
4. Nosotros (aprendemos / decidimos) los verbos.
5. ¿ (Vives / Recibes) cerca de la universidad?
6. David (cree / asiste) a clase los lunes.

E. Los fines de semana   Complete the following sentences based on what you, your friends and your family do on the weekends.

1. Yo…

2. Mis amigos…

3. Mi familia…

4. Mis padres…

5. Mis amigos y yo…

2.1b Irregular verbs in the *yo* form

There are some verbs in Spanish that are irregular in the *yo* form of the present tense. Instead of adding *–o* to the ending of the stem, you add *–go*. The verb *traer* also adds an *–i* before the *–go* ending. The other forms of the verbs are regular and follow the conjugation pattern based on their infinitive ending (*–ar*, *–er* or *–ir*).

hacer

yo	**hago**	nosotros	hacemos
tú	haces	vosotros	hacéis
él-ella-Ud.	hace	ellos/as-Uds.	hacen

poner

yo	**pongo**	nosotros	ponemos
tú	pones	vosotros	ponéis
él-ella-Ud.	pone	ellos/as-Uds.	ponen

salir

yo	**salgo**	nosotros	salimos
tú	sales	vosotros	salís
él-ella-Ud.	sale	ellos/as-Uds.	salen

traer

yo	**traigo**	nosotros	traemos
tú	traes	vosotros	traéis
él-ella-Ud.	trae	ellos/as-Uds.	traen

The verb *oír* ends in *–igo* like *traer*, but the other forms of the verb are also irregular. Notice how the *–i* changes to *–y* in the *tú* form, the *él/ella/usted* form and the *ellos/ellas/ustedes* form. Also notice that the *nosotros* and *vosotros* forms have an accent.

oír

yo	oigo	nosotros	oímos
tú	oyes	vosotros	oís
él-ella-Ud.	oye	ellos/as-Uds.	oyen

F. Identificar   Read what Miguel does after class. Then, circle the verbs conjugated in the *yo* form.

Después de clase, voy a mi apartamento. A veces le traigo café a mi compañero de cuarto. Primero pongo la computadora sobre la mesa y hago la tarea. También escucho música en la computadora. Luego salgo a correr por una hora.

Now, write the infinitive forms of the verbs you circled.

G. Pronombres personales   Write the appropriate subject pronoun (*yo, tú, él, nosotros* or *ellos*) before each conjugated verb.

1. _Yo_ traigo.
2. _El_ sale.
3. _Ellos_ traen.
4. _Yo_ oigo.
5. _Nostros_ oímos.
6. _Tu_ traes.
7. _Ellos_ hacen.
8. _Tu_ oyes.
9. _Nosotros_ ponemos.

H. Conjugar   Fill in the missing forms of the conjugated verbs.

	hacer	poner	salir
yo	hago	pongo	salgo
tú	haces	pones	sales
él, ella, Ud.	hace	pone	sale
nosotros	hacemos	ponemos	salimos
vosotros	hacéis	ponéis	salís
ellos, ellas, Uds.	hacen	ponen	salen

I. Escoger   Select the appropriate verb that best completes each sentence and write the conjugation of the verb in the blank provided.

1. Yo _____ (salir / traer) con mis amigos los viernes.

2. Yo _____ (oír / poner) las flores al lado de la foto.

3. Yo _____ (traer / oír) las conversaciones de los niños.

4. Yo _____ (salir / traer) galletas *(cookies)* para la fiesta.

5. Yo _____ (poner / hacer) la cama cada mañana.

J. Preguntas   Answer the following questions using complete sentences in Spanish.

1. ¿A qué hora sales de clase hoy?

2. ¿Dónde haces la tarea?

3. ¿Cuándo te pones un suéter?

4. ¿Oyes música cuando estudias?

5. ¿Traes una computadora portátil a clase?

2.2 ¿Cómo eres?

A. ¿Quién es...?

GR 1.1b

Write down the name of the person (real or fictional) that comes to mind when you read the adjectives below. Remember that the adjective ending may determine whether the person is a man or a woman!

trabajadora

insoportable — Kristen

aburrido

simpática — Kristen

generoso — John

inteligente — Kristen

introvertido

divertida — Hayden

Guanajuato, MX

B. ¿Cómo eres?

GR 1.1b

Using the adjectives below and/or from activity A, write a sentence about what you are like and a sentence about what you are not like in Spanish.

Soy trabajador y un poco reservado, pero también soy divertido. No soy muy emocional.

optimista / pesimista   organizado / desorganizado   energético / tranquilo

prudente / imprudente   independiente / dependiente   social / antisocial

extrovertido / introvertido   responsable / irresponsable   tímido / extrovertido

conservador / liberal   paciente / impaciente   activo / pasivo

C. ¿Cómo es...?

GR 1.1b

Choose an individual from activity A and describe them in 2-3 sentences.

Mi compañero de cuarto es muy simpático. Es sociable pero un poco desorganizado.

D. Más adjetivos

Work with a partner and ask what they are like. Use the model here and the adjectives from previous activities.

¿Cómo eres: optimista o pesimista?
Soy un poco pesimista. ¿Y tú?
¡Yo soy muy optimista!

E. Comparaciones

GR 2.2a

GR 2.2b

Write a few sentences comparing yourself to the person you described in activity C.

Yo soy trabajador, pero mi compañero de cuarto es irresponsable. Soy más trabajador que él, pero soy menos sociable. Los dos somos divertidos.

Comparisons can be made a number of ways:

pero	but
y	and
también	also
más paciente que	more patient than
menos paciente que	less patient than
tan paciente como	as patient as

F. Mi compañero

GR 1.2b

Share your description from activity B with a partner. Then, listen to your partner's description, write it down and check that it's correct. Use *eres* for 'you are' and *él/ella es* for 'he/she is' when reporting to the class.

G. ¿Cómo somos?

GR 1.2b

In groups of 3-4, share your descriptions from activity B and then write 5 sentences on a separate sheet of paper highlighting your similarities and differences.

Todos somos muy inteligentes y trabajadores. No somos impacientes. Jessica es más tímida que Ellen. Alex es menos organizado que Amanda.

Sevilla, ES

H. Entre mis amigos

GR 1.1b

Compare yourself to your friends by writing comparative statements to answer each question. Remember to make the adjectives agree in number and gender.

¿Quién es más generoso?

¿Quién es más trabajador?

¿Quién es más callado?

¿Quién es más inteligente?

¿Quién es más guapo?

I. Un buen amigo

GR 2.3c

The following are responses to the question: What are the characteristics of a good friend? Read through them and complete the activities that follow.

Yolanda (Holland, MI): En una buena amiga, yo busco fidelidad, buen humor, intereses similares y tiempo para hablar a cualquier hora.

Miluska (Lima, PE): Para mí, un buen amigo es una persona que te escucha mucho y no presiona en la amistad. Alguien con quien puedes hablar o puedes dejar de[1] conversar por dos, tres meses y después pueden retomar la amistad sin problema. Las amistades en los EE.UU., a veces, son muy horizontales de "Hola, ¿cómo estás?" y una buena amistad, para mí, es más vertical. Tienes muchos amigos horizontales aquí, pero tienes muy pocos que son verticales y ésos son los que valoras[2] más.

Laura (Madrid, ES): Un buen amigo o amiga es alguien en quien puedes confiar[3] y que siempre está disponible[4] cuando tienes un problema o necesitas ayuda.[5] Pienso que en

Barcelona, ES

una amistad la comunicación es crucial; por eso hay que[6] ser sincero y hablar cuando hay problemas. También me gusta mucho la gente que es divertida y que a pesar de[7] los problemas mira siempre el lado positivo y es optimista.

---

1   *dejar de* – to stop, not do something
2   *valorar* – to value
3   to trust
4   available
5   help

6   *hay que* – you need to, it's necessary to
7   *a pesar de* – despite

Circle the uses of tener *and* poder *in the texts above. What do you notice about the irregular change in the conjugations of the verbs?*

Match the following statements to Yolanda (Y), Miluska (M) or Laura (L) and place the number of the question where the answer is found in the text. Then put a check next to the characteristics of a good friend that are most important to you.

Y / M / L

1. *A friend is loyal.* ☐

2. *A friend is sincere.* ☐

3. *A friend listens to you a lot.* ☐

4. *A friend has a good sense of humor.* ☐

5. *A friend is positive and optimistic.* ☐

6. *A friend doesn't pressure the relationship.* ☐

7. *You can only have a few really good friends.* ☐

8. *Friends share similar interests.* ☐

J. Características ideales

Write what you think the three most important characteristics of a good friend are. Then, in groups of four, ask what each classmate thinks and note the answers in the boxes provided.

confiable	optimista	tiene buen humor
fiel	sincero	tranquilo
honesto	paciente	no juzga
divertido	extrovertido	social

¿Cómo es un buen amigo?

Un buen amigo es honesto, fiel y tiene buen humor.

Mi opinión

Compañero/a #2

Compañero/a #1

Compañero/a #3

K. Personajes

GR 1.1b

Working with a partner, choose a TV show or movie you are both familiar with and write the names of two male characters and two female characters. Then write three adjectives for each, making each agree with the gender of the character. Finally, share your descriptions with another group and see if your classmates can guess the TV show or movie.

	Nombres	Adjetivos
Personajes masculinos		
Personajes femeninos		

L. Anuncio personal

GR 1.1b

GR 1.2b

Imagine you are looking for a new roommate. Write a personal ad describing yourself on a 3x5 card and list some of the attributes you seek in a new roommate. Write your name on the back of the card. Listen to the ads as your instructor reads them and see if you can guess who the person is.

Soy divertida y simpática, pero soy un poco introvertida. Soy inteligente y trabajadora. Los sábados me gusta estudiar español y bailar swing. Soy generosa con mis amigos. Mi compañera de cuarto ideal es social, extrovertida y muy simpática. Prefiero a una persona organizada.

San Miguel de Allende, MX

M. Descripciones

GR 1.1b

Write a descriptive sentence for each picture below. Use several different adjectives, making sure your adjective endings agree.

gordo	bonito	pequeño	rubio
delgado	guapo	alto	pelirrojo
flaco	grande	bajo	joven
feo	mediano	moreno	viejo

Es un poco gordo y muy alto.

1.

2.

3.

4.

5.

6.

N. ¡Adivina!

With a partner, take turns choosing a photo and describing it to each other. Have your partner guess which photo you're describing.

O. Me parece que es...

Now project personalities into the picture above. With a partner, take turns describing what you think the people in the pictures may be like. Have your partner guess which photo you are describing and agree or disagree with you.

Me parece que es inteligente, simpático y amable.

No, a mí me parece muy serio y antipático.

P. Mis amigos y mi familia

GR 2.2a

GR 2.2b

Write a description of a friend or family member who is different from you. Include physical characteristics as well as personality traits in comparison to you.

Mi amigo Andre es moreno y delgado con pelo negro. Él es más alto que yo. Yo soy más organizado que Fernando, pero soy menos extrovertido que él.

Yo soy moreno, pero mis hermanos son rubios. Mi mamá es rubia, pero mi papá es moreno. Todos somos muy tranquilos y trabajadores.

Mi amigo/a:

Mi familia:

Q. Gente famosa

GR 1.1b

In groups of 2-3, pick a famous person and write a description in the space below. Start with basics, focusing on personality and then appearance. Keep it simple, but add more information at the end to help other classmates guess who the person is. Check that your adjectives all agree in gender with your famous person!

Es muy trabajadora y generosa con su tiempo. Esta persona es rubia, delgada y bonita. Es de Colombia. Es cantante. Canta en inglés y en español. También baila muy bien. Sus canciones más famosas son *Hips Don't Lie* y *Waka Waka*. ¿Quién es? [Shakira]

R. ¿Quién es?

Now get into different groups of three and read your descriptions of famous people to each other. See if you can guess who your classmates are describing!

¿Quién es?   *Who is it?*
Creo que es...   *I think it is...*

Sí, es la respuesta correcta.
Yes, that's the correct answer.

Sigue adivinando.
Keep guessing.

La Quemada, San Felipe, MX

S. Los padres

GR 1.1a

Read the descriptions of parents below. Then answer the questions. Jot down the number of the question in the part of the text where you find the answer.

Alicia (Burgos, ES): Mi padre tiene 53 años. Es más bajito que yo. Es moreno, tiene el pelo negro, una barba[1] muy larga y negra, ojos negros y, bueno, es reservado, un poco callado, no suele escuchar mucho. Mi madre es rubia, de piel[2] blanca, de ojos azules, con la dentadura[3] perfecta y es muy buena persona.

Renata (Veracruz, MX): Mi padre era[4] alto, moreno, era un tipo muy de la costa, pelo rizado,[5] moreno por el sol (porque hace mucho calor en Veracruz), delgado, pero con una personalidad muy fuerte,[6] muy estricta. Mi madre por el contrario es bajita, es de complexión gruesa,[7] poquito gordita, también tiene el pelo rizado, piel clara y es muy agradable, muy buena gente.

Pilar (Burgos, ES): A ver, mi padre era alto y delgado como un espagueti. Era la mejor persona que he conocido.[8] Era bueno y tranquilo, callado, pero muy cariñoso.[9] Mi madre es pequeñita, gordita, muy tímida, muy reservada también, muy buena.

Berta (Toledo, ES): Mi papá es alto, moreno, un hombre fuerte. Es un hombre muy optimista, muy simpático y también serio, pero a la misma vez divertido. Mi mamá es más bajita, es rubia, tiene ojos claros y le gusta mucho pasear y leer.

[1] beard
[2] skin
[3] teeth
[4] was
[5] curly
[6] strong
[7] *complexión gruesa* – stocky

[8] *he conocido* – I have known
[9] affectionate

1. *Whose father spent a lot of time in the sun?*

2. *Whose father is serious yet fun?*

3. *Which speaker is taller than her father?*

4. *Whose mom likes to go for walks and read?*

5. *Whose mother is blonde-haired and blue-eyed?*

6. *Who had a very strict father?*

7. *Who describes both their parents as good?*

8. *Whose dad has a positive outlook on life?*

9. *Whose father doesn't listen very well?*

10. *Whose fathers were the quiet type?*

Write as many adjectives as you can find in the texts above that describe:

physical characteristics

personality characteristics

T. Polos opuestos se atraen

GR 1.1b

Based on the texts from the previous page, would you say that opposites attract? Defend your position by listing some of the adjectives from the texts associated with men and with women.

Hombres   Mujeres

Which set of parents seems to be the most opposite of each other? Defend your choice by listing the adjectives associated with the mother and the adjectives associated with the father.

Los padres de

El papá es …   La mamá es …

U. ¿Nos parecemos?

GR 1.1b

Bring a picture of your family or of a family member to class. You must not be in the picture. Your instructor will collect and redistribute them to the class. Write a description of the people or person in the photograph you receive.

> El papá es moreno y alto. La mamá es rubia y baja. Hay dos hijos y una hija.

hay	there is / there are
el hijo	son
la hija	daughter
el hombre	man
la mujer	woman

Now, find the owner of the picture by reading your description to your classmates. Do not show them the picture! Finally, be sure you have been found by the person who has your picture!

> Tengo una foto de una familia grande. Hay cinco personas en la foto. El papá es moreno y alto…

V. ¡A escribir!

Write an essay in which you describe physical and personality characteristics of yourself, one good friend and your parents, grandparents or an uncle *(tío)* or aunt *(tía)*. Include comparisons of yourself to the people you describe in your essay.

> Mi mejor amigo es extrovertido y muy social. Él es un poco más inteligente que yo, pero los dos somos creativos. Mi amigo es más alto que yo, pero yo soy más guapo. Él es tan delgado como yo. Mi mamá es trabajadora, sincera y confiable. Ella es baja y bonita. Yo soy más alto que mi mamá. Ella es más organizada que yo. Nosotros somos muy honestos y generosos.

Vocabulary 2.2

el/la amigo/a	friend	**gordo/a**	fat
el/la compañero/a de cuarto	roommate	**guapo/a**	good-looking, handsome
la familia	family	**hablador/a**	talkative
aburrido/a	boring	**insoportable**	unbearable, intolerable
alto/a	tall	**inteligente**	intelligent
bajo/a	short	**joven**	young
blanco/a	white; fair-skinned	**mediano/a**	medium, average
bonito/a	pretty, lovely	**moreno/a**	dark-haired; dark-skinned
callado/a	quiet	**pelirrojo/a**	red-haired
cariñoso/a	loving, affectionate	**rubio/a**	blond, fair-haired
delgado/a	slim, slender	**simpático/a**	nice, likeable
divertido/a	funny, amusing	**trabajador/a**	hard-working
flaco/a	skinny	**viejo/a**	old
flojo/a	lazy	**hay**	there is, there are
generoso/a	generous	**poder** (ue)	to be able to, can

2.2a Comparisons of inequality

Comparisons of inequality are used to compare nouns of greater or lesser quality. Use the following formulas to form comparisons with adjectives and verbs. Remember that adjectives agree in number and gender with the nouns they modify. So when comparing nouns, they agree with the first noun in the sentence. For example: *Felipe es más pasivo que Diana. Diana es más activa que Felipe. Diana y Marta son más activas que Felipe.*

más/menos + [adjective] + *que*

Sebastián es **más paciente que** Diego.	*Sebastián is more patient than Diego.*
David y yo somos **menos sociables que** tú.	*David and I are less sociable than you.*

[verb] + *más/menos* + *que*

Miguel **trabaja más que** ellos.	*Miguel works more than they do.*
Álex y Joel **estudian menos que** Luis.	*Álex and Joel study less than Luis.*

The following adjectives have irregular comparative forms that do not use *más* or *menos* in the sentence.

mejor (*better*)	El libro es **mejor que** la película.	*The book is better than the movie.*
peor (*worse*)	Las uvas son **peores que** las peras.	*The grapes are worse than the pears.*
mayor (*older*)	Yo soy **mayor que** mis primos.	*I am older than my cousins.*
menor (*younger*)	Mi hermano es **menor que** yo.	*My brother is younger than I am.*

A. ¿Quién es...?   Compare yourself to friends with comparative statements and adjectives that agree in number and gender.

Modelos: ¿Quién es más liberal?   *Yo soy más liberal que mis amigos.*

1. ¿Quién es más sociable?

2. ¿Quién habla más?

3. ¿Quién es más trabajador?

4. ¿Quién baila menos?

5. ¿Quién es más atlético?

B. Comparar   Compare the differences between the following people using the adjectives and verbs provided.

Adjetivos			**Verbos**		
activo	paciente	trabajador	bailar	correr	estudiar
liberal	sincero	tranquilo	cantar	escribir	trabajar

Modelo: Tu hermano y tu padre: *Mi hermano es más alto que mi padre.*

1. Tú y tu mejor amigo/a:

2. Tus abuelos y tus padres:

3. Tu madre y tu padre:

4. Tú y tu hermano/a:

5. Tus amigos y tus amigas:

C. Mi ciudad natal   Write a brief description of your hometown and state, province or region where you are from. Use the verb *ser* and some of the adjectives provided below. The adjective endings should agree in gender and number with what you are describing (*la ciudad es pequeña / el estado es pequeño*).

grande	bonito	aburrido
limpio	mejor que	diverso
pequeño	feo	sucio
turístico	peor que	emocionante

La ciudad:

El estado:

2.2b Comparisons of equality

Comparisons of equality are used to compare nouns of equal quality. Use the following formulas to form these comparisons with adjectives and verbs.

tan + [adjective] + *como*

Adrián es **tan alto como** su padre.   *Adrián is as tall as his father.*
Somos **tan creativos como** el artista.   *We are as creative as the artist.*

[verb] + *tanto como*

Miguel **trabaja tanto como** ellos.   *Miguel works as much as them.*
Álex y Joel **estudian tanto como** Luis.   *Álex and Joel study as much as Luis.*

D. Completar   Complete the following statements of equality by writing in the names of celebrities or people you know.

1. Mi padre/madre es tan guapo/a como   .

2. Mi mejor amigo/a es tan exitoso/a como   .

3. Mis padres viajan tanto como   .

4. Yo soy tan atlético/a como   .

5. Mis amigos van de compras tanto como   .

E. Gemelos   Miguel and Gabriel are identical twins who have a lot in common. Complete the following statements with the missing word.

1. Miguel corre   como Gabriel.

2. Miguel es tan guapo   Gabriel.

3. Miguel   tan exitoso como Gabriel.

4. Miguel practica fútbol tanto   Gabriel.

5. Miguel y Gabriel son   honestos como sus padres.

F. Comparar   Compare the similarities between your friends and family using some of the adjectives and verbs provided.

Adjetivos

sensible   exitoso   sarcástico
gracioso   confiable   trabajador

Verbos

caminar   correr   comer
escribir   leer   viajar

Modelos: *Mi prima es tan bonita como yo. / Mi amiga baila tanto como mi sobrino.*

1.

2.

3.

4.

5.

2.3 Familia

Cultura: Names, Attitudes towards family in Spain / Mexico
Vocabulario: Family & relatives, Question words
Gramática: Possessive adjectives & *tener* and *venir*

A. La Familia Real Española   Look at the family tree for the Spanish royal family and answer the questions below.

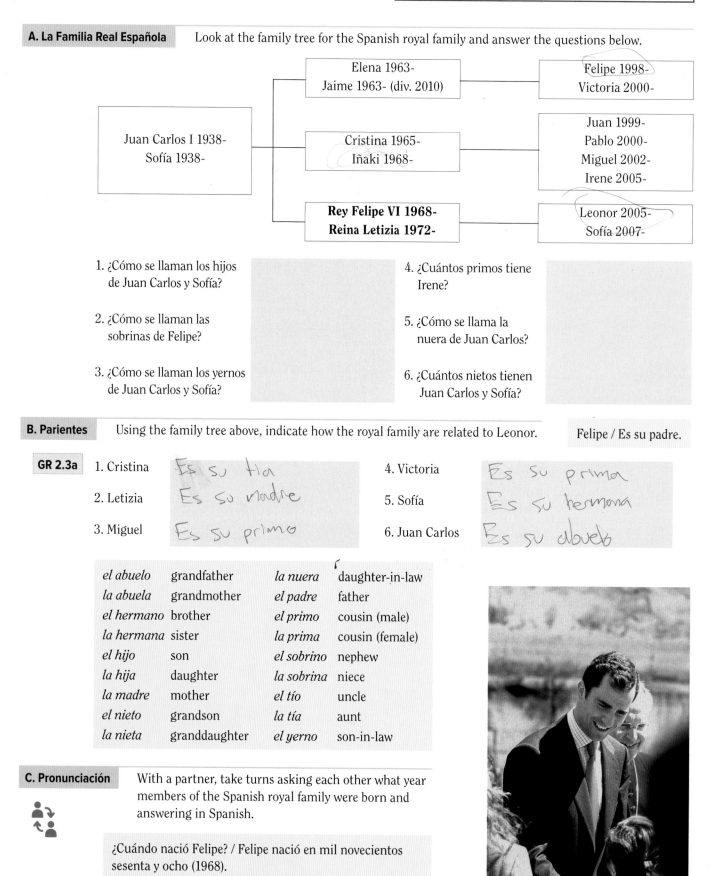

	Elena 1963- Jaime 1963- (div. 2010)		Felipe 1998- Victoria 2000-
Juan Carlos I 1938- Sofía 1938-	Cristina 1965- Iñaki 1968-		Juan 1999- Pablo 2000- Miguel 2002- Irene 2005-
	Rey Felipe VI 1968- Reina Letizia 1972-		Leonor 2005- Sofía 2007-

1. ¿Cómo se llaman los hijos de Juan Carlos y Sofía?

2. ¿Cómo se llaman las sobrinas de Felipe?

3. ¿Cómo se llaman los yernos de Juan Carlos y Sofía?

4. ¿Cuántos primos tiene Irene?

5. ¿Cómo se llama la nuera de Juan Carlos?

6. ¿Cuántos nietos tienen Juan Carlos y Sofía?

B. Parientes   Using the family tree above, indicate how the royal family are related to Leonor.   Felipe / Es su padre.

GR 2.3a

1. Cristina   *Es su tía*
2. Letizia   *Es su madre*
3. Miguel   *Es su primo*

4. Victoria   *Es su prima*
5. Sofía   *Es su hermana*
6. Juan Carlos   *Es su abuelo*

el abuelo	grandfather	*la nuera*	daughter-in-law
la abuela	grandmother	*el padre*	father
el hermano	brother	*el primo*	cousin (male)
la hermana	sister	*la prima*	cousin (female)
el hijo	son	*el sobrino*	nephew
la hija	daughter	*la sobrina*	niece
la madre	mother	*el tío*	uncle
el nieto	grandson	*la tía*	aunt
la nieta	granddaughter	*el yerno*	son-in-law

C. Pronunciación   With a partner, take turns asking each other what year members of the Spanish royal family were born and answering in Spanish.

¿Cuándo nació Felipe? / Felipe nació en mil novecientos sesenta y ocho (1968).
¿Cuándo nació Irene? / Irene nació en dos mil cinco (2005).

Felipe VI de España, Sevilla, ES

D. Mi familia

Create your own family tree, either drawing it by hand or using software (drawing or genealogy program). Make sure to leave your name out of it! Include your immediate family and as many extended family members as you can.

Granada, ES

E. ¿Es tu familia?

GR 2.3b

Your instructor will now collect all of the family trees and redistribute them to the class. Ask your classmates questions based on the family tree you received and find the owner. Try to keep the questions basic by asking the number of family members without using their names.

¿Tienes dos hermanos? / Sí, tengo dos hermanos.
¿Tienes un sobrino? / No, no tengo un sobrino. No es mi familia.

F. Mis parientes

GR 2.3b

In groups of three, fill in the first column below with your extended family's information. Then, find out from your two classmates the size of their extended families.

¿Cuántos tíos tienes? / Tengo tres tíos: uno por parte de mi madre y dos por parte de mi padre.

	Yo		Compañero/a #1		Compañero/a #2	
	madre	padre	madre	padre	madre	padre
tíos	uno	quatro	tos	dos		
tías	tres	tres	dos	dos		
abuelos	uno	uno	uno	uno		
abuelas	una	una	una	una		
bisabuelos	dos	dos	dos	dos		
primos	ocho	seiso	tres	dos		
primas	cinco	tres	dos	uno		
sobrinos	cero	cero	cero	cero		
sobrinas	cero	cero	coro	cero		

G. Comparaciones

GR 2.2a

GR 2.2b

Now, help each other write two sentences comparing the size and makeup of your families.

Tengo más primos que John.
Alicia tiene menos sobrinos que Marie.
Alicia y yo tenemos tres sobrinos.

H. La familia   Read through these descriptions of families and answer the questions that follow. Place the number of each question where the answer is found in the text.

Jesús (Burgos, ES): Pues, soy el pequeño de ocho hermanos. Es una familia muy numerosa. Mis padres son agricultores, o eran, porque ya están jubilados.[1] Tengo cuatro hermanos y tres hermanas, y algunos de ellos están casados. Tengo ocho sobrinos. Dos de ellos ya tienen 20 años y tengo varios sobrinos pequeños de uno, dos, cuatro años, ocho años y casi todos viven en Burgos.

Tami (Tarragona, ES): Tengo en total cuatro hijos. Los dos mayores son míos, de un primer matrimonio. Están Alejandro, que tiene 25 años, y Elena, que tiene 24. Después está Irene, que tiene 20; es hija de mi segundo marido, de mi actual marido. Tenemos en común a una pequeña Tami, que cumplirá[2] 10 años este mes. Bueno, los quiero mucho, son adorables, ya ves, son también muy irritantes, pero son mi gran tesoro.[3]

---

[1]   retired
[2]   will turn (lit. 'complete')
[3]   treasure

Ana (Vistabella, ES): Mi marido es también profesor de dibujo[4] en un instituto. Más o menos, tenemos la misma edad: yo tengo 44 y él también, unos meses mayor. Tenemos dos hijos, no son hijos biológicos, adoptamos dos hijos hace dos años de Madagascar. El niño ahora mismo va a cumplir 9 años en diciembre, y la pequeña, va a cumplir 3 años en febrero. Somos una familia normal, supongo.[5]

Karina (Latacunga, EC): A ver, tengo tres hermanos: una hermana, mi hermana mayor y dos hermanos. Bueno, mi papá y mi mamá: mi mamá se llama Carmen, pero yo le digo "mami Gladys," y mi papi se llama Enrique. Mi papi tiene como 67 años y mi mami como 56, más o menos, no me acuerdo.[6] Mi hermano mayor se llama Enrique, mi hermana se llama Francisca y mi otro hermano se llama José Eduardo. A ver, todos son mayores que yo. Yo soy la menor. Mi familia es muy, muy unida.

---

[4]   design, drawing
[5]   *suponer* – to suppose
[6]   *acordarse* – to remember

San Juan Chamula, Chiapas, MX

1. Who adopted children?

2. Who has the most children?

3. Who has the most siblings?

4. Who is remarried?

5. Whose father is quite a bit older than her mother?

I. ¿Cómo se dice?   Look through the texts again and use the technique of "creative copying" in order to figure out how one would say the following in Spanish.

1. We adopted three daughters.

2. My son will turn three this November.

3. I am the oldest of nine children.

4. My older sister is named Consuela.

5. My brother and I are almost the same age.

J. Apodos Here are some common Spanish nicknames. Can you match them with the first names? Guess as many as you can before you check the internet or other sources.

1. C Antonio
2. K Ignacio
3. f Alejandro
4. h Mercedes
5. i Alberto
6. g Guillermo
7. j José
8. d Rosario
9. a Francisco
10. e Jesús
11. l Dolores
12. b María Isabel

a. Paco
b. Maribel
c. Toño
d. Chayo
e. Chuy
f. Álex
g. Memo
h. Merche
i. Beto
j. Pepe
k. Nacho
l. Lola

Nicknames. In the Spanish-speaking world, nicknames can sometimes seem harsh or even offensive. Parents are sometimes called *mis viejos*, a girlfriend might be *mi gorda*, a boyfriend *mi negro* and a smart kid might become *el cabezón* for the rest of his school days. If you are an English speaker, you may be called *gringo*. These are most often not intended to be offensive or critical.

K. Apellidos In Spanish-speaking countries, it is common for people to have a double last name. Look at the example to see how a child's last name is formed. What would your and your parents' names be using this convention?

Padre: Juan Eduardo Pérez Leroux
Madre: María Isabel Díaz Ávalos
Hijo: David Enrique Pérez Díaz

Mi padre:

Mi madre:

Yo:

Now, working with several partners, exchange your parents' names and then construct each other's full names.

Sierra Norte, Oaxaca, MX

L. Personas famosas Your instructor will ask your class to brainstorm a list of famous people that everyone is familiar with. You may suggest athletes, singers, actors, politicians, etc.

M. Familias famosas One of the famous people in activity L will be assigned to you. Create a description of that person's family, starting general and then getting more specific. Use simple language as yours might be chosen in a guessing game for the class!

Esta persona es de la Argentina. Es un hombre bajo y muy talentoso. Le gusta el fútbol. Él juega en el Fútbol Club de Barcelona en España. Es considerado el mejor jugador del mundo. Su apodo es La Pulga. [Leo Messi]

N. Repaso   Complete the statements below. Your answers must agree in number and gender.

abuelo/a	hermano/a	sobrino/a	tío/a
cuñado/a	primo/a	suegro/a	yerno

1. El hijo de mis padres es mi _hermano_ .

2. El esposo de mi hija es mi _yerno_ .

3. El hermano de mi padre es mi _Tío_ .

4. La madre de mi esposo es mi _suegra_ .

5. Los hijos de mi hermano son mis _Sobrinos_ .

6. Los padres de mis padres son mis _Abuelos_ .

7. Los hijos de mis tíos son mis _Primos_ .

8. El esposo de mi hermana es mi _Cuñado_ .

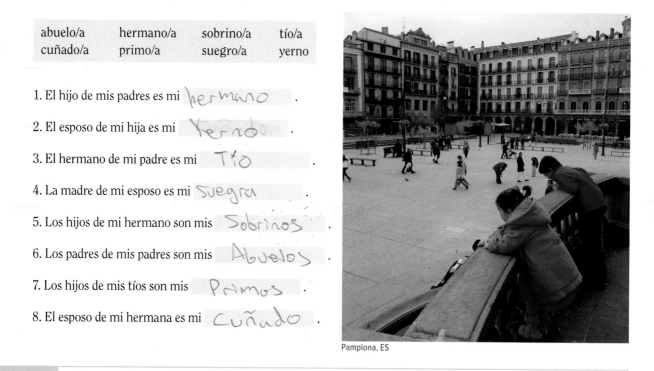

Pamplona, ES

O. Interrogativas   Use question words to complete the questions below. Then, answer them in complete sentences.

GR 1.2c

¿Cuál?	¿Qué?	¿Cuándo?	¿Cuánto(s)/a(s)?
¿Por qué?	¿Cómo?	¿Dónde?	¿De dónde?

1. ¿ _¿Cómo?_ se llaman tus padres?

2. ¿ _¿Cuántos?_ años tienes?

3. ¿ _¿Cuál?_ es tu número de teléfono?

4. ¿De _dónde_ eres?

5. ¿ _Cuántas_ hermanas tienes?

6. ¿ _Dónde_ vive tu familia?

7. ¿A _qué_ hora es la clase de español?

8. ¿ _Qué_ estudias?

9. ¿ _De dónde_ son tus padres?

Mis padres se llaman Antonio y María

Yo tengo 20 años

Mi número de teléfono

Yo soy de Chicago

Yo tengo (dos hermanas)

Mi familia es de México

P. Su tiempo libre   What do your family members do in their free time? How often do they do the activities? Choose three family members and write a sentence for each one.

Mi papá lee y come. Nunca hace ejercicio, pero sí lee con mucha frecuencia.

Q. Nombres

GR 2.3b

Write the names of classmates who answer affirmatively to the questions below. You may only ask each classmate one question. Remember to respond in complete sentences. Shout *¡alto!* when you finish.

1. ¿Tienes sobrinos?

2. ¿Están vivos todos tus abuelos?

3. ¿Tienes novio/a?

4. ¿Tienes un/a cuñado/a?

5. ¿Tienes más de diez primos?

6. ¿Tienes un tío soltero?

7. ¿Tienes una hermana casada?

8. ¿Tienes un hermano menor?

Alex
Summer
Rachea
Kristen
Murcia
Professor Rahmer hermen casla
Jayde

Tener (to have) has these forms in the present tense:
(yo) tengo
(tú) tienes
él / ella tiene
(nosotros/as) tenemos
(vosotros/as) tenéis
ellos/ellas tienen
Tener has an irregular *yo* form, and it is also a stem-changing verb: the *e* changes to *ie*.

R. Mi profesor(a)

GR 1.2c

Write down three questions to ask your instructor about their family. As the instructor responds to the questions, sketch out their family tree on a separate sheet of paper.

Denia, ES

S. Entrevista

GR 1.2c

Prepare a set of at least five questions to ask a partner about their family. Find out basic information about the size and make up of the family as well as more detailed information about some family members (personality, physical description, hobbies). Refer to activity O and others to help you create your questions.

Mis preguntas

La familia de mi compañero/a

T. Mascotas

Read the following descriptions of pets and answer the questions. Place the number of each question where the answer is found in the text.

Francisco (La Habana, CU): Tengo un perrito que se llama Lucas. Me gusta mucho. Es un perro muy inteligente; es de raza Corgi Inglesa. Me encanta, es un perro muy rápido – siempre le gusta jugar. Comprende las cosas cuando le digo "no" o "sí," hace juegos para que yo le ponga atención. También tengo dos mascotas, que son Sansón y Dalila, que son mis peces, pero en realidad, pues convivo[1] con mi perro cien por ciento.

José (Granada, ES): Soy un enamorado de los gatos. Tenemos un gato solamente y estamos en casa peleando[2] para ver si ampliamos[3] la familia de gatos.

José Luis (Denia, ES): Pues, tenemos un gato que se llama Murphy por lo de *la Ley de Murphy*. Tiene muchos años, ya tiene casi 10 años, 10 u 11 años.

---

[1]   *convivir* – to coexist, to live with
[2]   *pelear* – to fight
[3]   *ampliar* – to extend

Mazatlan, MX

Nurya (Denia, ES): Es un gato gordito, es como de raza Persa. A mí personalmente no me gusta porque no me gustan los animales, pero a mi madre sí. No me gusta porque deja[4] muchísimos pelos en todos los sitios y además a veces entra a mi armario[5] y cuando voy a escoger[6] algo, está lleno de pelos y eso no me gusta nada.

---

[4]   *dejar* – to leave
[5]   closet, wardrobe
[6]   *escoger* – to pick out, to choose

1. Who really loves cats?

2. How many people have cats?

3. Whose pet is fairly old?

4. Whose pet is really smart?

5. Who has a fat cat?

6. Who would like to have more cats at home?

7. Two fish are mentioned. What are their names?

8. Who does not like his or her pet? Why?

U. Mi mascota

GR 2.2a

GR 2.2b

Write a short description of a pet (real or imaginary). Then, write a few sentences comparing yourself with your pet. Do you resemble each other physically or in personality?

La descripción de mi mascota

Una comparación de los dos

Mi perro se llama Oso. Es grande y color café. Es un poco viejo. Es tranquilo y callado. Le gusta comer.

Mi perro es muy tranquilo y yo también soy tranquilo. A los dos nos gusta comer, pero Oso come más que yo. Oso es mayor que yo en años de perro. Los dos tenemos pelo color café. Oso es menos inteligente que yo.

V. Su mascota

Share the description of your pet from the previous activity with a partner. As you listen to your partner's description, take notes so you can report back to your partner or the class.

W. Mi tía loca

Who is the most unusual relative in your family? Write a detailed description of the person in the box below. Remember to include a physical description, personality traits and their favorite hobbies.

Mi prima es buja. Ella es divertida. Le gusta hacer tik toks.

X. Un pariente raro

Share your information from the previous activity with a partner or small group. As you listen, jot down as much information as you can on a separate sheet of paper. Be prepared to report to the class about this unusual relative.

GR 1.1b

Y. ¡A escribir!

Write an essay in which you introduce your immediate family as well as some extended family members. Include a physical description, personality traits, where they live and their favorite hobbies.

Puebla, MX

Mis padres se llaman Bob y Sarah. Son de Knoxville, TN. Mis padres son muy simpáticos y cariñosos. Mi papá es más reservado que mi mamá; mi mamá es súper extrovertida y social. A mis padres les gusta mucho jugar tenis y pasar tiempo en familia. Todos los domingos, salimos juntos a comer.

Mis padres tienen tres hijas: mi hermana mayor, Katie, yo y mi hermana menor, Tricia. Katie tiene 30 años y está casada con Adam. Tiene dos hijos, Carter y Chase. Me encantan mis sobrinos. Tricia tiene 20 años y estudia biología. Quiere ser doctora. Es soltera y no tiene tiempo para los hombres: estudia muchísimo, y en su tiempo libre, le gusta hacer ejercicio o pasar tiempo en familia.

Mis abuelos maternos se llaman Harry y Kathryn. Mis abuelos paternos están muertos. Mi padre tiene un hermano que se llama Joe. Mi tío Joe es muy divertido.

Vocabulary 2.3

el/la abuelo/a	grandfather/grandmother		todo	everything; all
el/la cuñado/a	brother-in-law/sister-in-law		abierto	open
el/la esposo/a	husband/wife; spouse		acostumbrado (a algo)	usual; (used to sth.)
la escuela	school		casado/a	married
el/la hermano/a	brother/sister		mayor	older
el/la hijo/a	son/daughter		menor	younger
la mascota	pet		poco	little
la madre	mother		serio	serious
el marido	husband		también	also
el/la nieto/a	grandson/granddaughter		afectar	to affect; to sadden
el/la niño/a	boy/girl, child		creer	to believe
el/la novio/a	boyfriend/girlfriend		tener (ie)	to have
la nuera	daughter-in-law			
el padre	father			
los padres	parents		¿Cómo?	How?
el/la primo/a	cousin		¿Cuál? ¿Cuáles?	Which one(s)?
el/la sobrino/a	nephew/niece		¿Cuándo?	When?
el/la suegro/a	father-in-law/mother-in-law		¿Cuánto(s)/a(s)?	How many?, How much?
el/la tío/a	uncle/aunt		¿De dónde?	From where?
un rato	a while		¿Dónde?	Where?
la vida	life		¿Por qué?	Why?
el yerno	son-in-law		¿Qué?	What?
algo	something		¿Quién?, ¿Quiénes?	Who?

2.3a Possessive adjectives

Possessive adjectives are used to show ownership. Since they are adjectives, they must agree with the nouns they modify in number (singular or plural). Only *nuestro* and *vuestro* must agree in both number and gender (masculine or feminine). Possessive adjectives precede the nouns they modify. That is, they go in front of and match the thing possessed. For example: *Mi lápiz.* (My pencil.) *Tus zapatos.* (Your shoes.) *Nuestra clase.* (Our class.)

Possessive Adjectives

mi	mis	*my*
tu	tus	*your (familiar)*
su	sus	*your (formal), his, her, its*
nuestro/a	nuestros/as	*our*
vuestro/a	vuestros/as	*your (familiar)*
su	sus	*your (formal), their, its*

Since *su* and *sus* both have multiple meanings (*su*: his, her, its, your; *sus*: his, her, their, its, your), the following structure can be used to avoid confusion:

definite article + noun + *de* + subject pronoun

Su casa.	La casa de él (ella, Ud., ellos, ellas, Uds.)
Sus amigos.	Los amigos de él (ella, Ud., ellos, ellas, Uds.)

A. Identificar   Diana describes her apartment, which she shares with three other friends. Circle the possessive adjectives used in the text.

Vivo con mis amigos. Nuestro apartamento tiene dos habitaciones. Mi amiga Paula y yo compartimos una habitación. Nuestra habitación es grande. Rosario y su novio Jaime tienen la habitación más pequeña, pero siempre están con sus amigos. ¿Es grande tu habitación?

B. Completar   Complete the following sentences with the possessive adjective given in parentheses.

1. Marta siempre paga mucho por _SUS_ zapatos. *(her)*
2. _Nuestra_ universidad es muy buena. *(our)*
3. No tengo _mis_ libros conmigo hoy. *(my)*
4. Felipe es muy guapo. ¿Es _su_ hermano? *(their)*
5. ¿De dónde es _tu_ padre? *(your, familiar)*

C. Adjetivos posesivos   Write the correct possessive adjective in the space provided.

1. Tú tienes una amiga colombiana. Es ___tu___ amiga.
2. Adrián y Elena tienen una casa. Es ___su___ casa.
3. Tenemos una clase grande. Es ___nuestra___ clase.
4. Mis padres tienen cinco hijos. Son ___sus___ hijos.
5. Tengo dos perros. Son ___mis___ perros.

D. ¿De quién es?   Use *de* in the construction to rewrite these statements in Spanish. Then use the possessive adjective.

Modelo: Leo's ball: *La pelota de Leo.*   *Su pelota.*

1. Rosario's shoes: Los zapatos de Rosaria   Sus zapatos
2. The professor's class: La clase del profesor   Su clase
3. María's sister: La hermana de Marra   Su hermana.
4. The students' computers: Las computadoras de los estudnts   Sus computadoras

2.3b *Tener* and *venir*

The verbs *tener* (to have) and *venir* (to come) are conjugated in a similar way. In the *yo* form, both verbs are irregular and end in *–go*. In addition, these verbs have a stem change from *e* to *ie*. This stem change occurs in the second person singular (*tú*), the third person singular (*él, ella, Ud.*) and the plural (*ellos, ellas, Uds.*) forms. Notice that these verbs each maintain their respective *–er* and *–ir* endings with the exception of the *yo* form. The *nosotros* and *vosotros* forms are regular.

tener				venir			
yo	**tengo**	nosotros/as	tenemos	yo	**vengo**	nosotros/as	venimos
tú	**tienes**	vosotros/as	tenéis	tú	**vienes**	vosotros/as	venís
él-ella-Ud.	**tiene**	ellos/as-Uds.	**tienen**	él-ella-Ud.	**viene**	ellos/as-Uds.	**vienen**

E. Identificar   Circle the forms of the verb *tener* and underline the forms of the verb *venir* in the text.

Tengo que limpiar mi apartamento porque mis amigos vienen este fin de semana. Luis viene el jueves en autobús porque tiene miedo de volar en avión. Maribel y Claudia tienen clase los jueves, por eso vienen el viernes. El viernes por la noche tenemos que celebrar el cumpleaños de Claudia en un restaurante.

F. Conjugar   Fill in the missing forms of the conjugated verbs. Then answer the questions that follow.

	tener	venir
yo	tengo	vengo
tú	tienes	vienes
él, ella, Ud.	tiene	tiene
nosotros/as	tenemos	venimos
vosotros/as	tenéis	venís
ellos, ellas, Uds.	tienen	vienen

1. In what forms are the verb endings the same? (yo / tú / él / nosotros / vosotros / ellos)
2. In what forms are the verb endings different? (yo / tú / él / nosotros / vosotros / ellos)
3. What does the 'e' in the stem of the verb change to?   es
4. In what forms does the stem change NOT occur? (yo / tú / él / nosotros / vosotros / ellos)

G. Preguntas   Answer the following questions using complete sentences.

1. ¿Cuántos hermanos tienes?   Tengo
2. ¿Vienes a la universidad en autobús?   No vengo a la universidad en autobús
3. ¿Tiene novio/a tu mejor amigo/a?   Mi mejor amigo tiene una novia
4. ¿Cuántos hermanos tienen tus padres?   Mis padres tienen once hermanos.
5. ¿A qué hora vienen tus compañeros a la clase de español?   Mis compañeros vienen a las seis y media

2.3c Stem-changing verbs

In Spanish, there are some verbs in the present tense that have a spelling change in the stem form of the verb. Remember that when you remove the infinitive ending, the remaining part is called the stem of the verb. For example, *habl–* is the stem of the verb *hablar*. You then conjugate the verb by adding the appropriate endings.

These stem-changing verbs all have regular *–ar*, *–er* or *–ir* verb endings but undergo a stem change. The three stem-changing groups are: *e → ie*, *o → ue* and *e → i*. The stem change occurs when the stem vowel is stressed, which means that the stem change occurs in all forms except the *nosotros* and *vosotros* forms where the stress is on the ending. Stem-changing verbs are also referred to as "boot verbs" because the stem change occurs within the boot form outlined below. Outside of the boot there is no change to the stem.

The verb *pensar* (to think) stem changes from *e* to *ie* in the boot, but keeps the *e* in the *nosotros* and *vosotros* forms. Since the verb ends in *–ar*, the regular *–ar* verb endings are then added.

stem-changing verb: *e → ie*

pensar

yo	**pienso**	nosotros	pensamos
tú	**piensas**	vosotros	pensáis
él-ella-Ud.	**piensa**	ellos/as-Uds.	**piensan**

The verb *volver* (to return) stem changes from *o* to *ue* in the boot but keeps the *o* in the *nosotros* and *vosotros* forms. Since the verb ends in *–er*, the regular *–er* verb endings are then added.

stem-changing verb: *o → ue*

volver

yo	**vuelvo**	nosotros	volvemos
tú	**vuelves**	vosotros	volvéis
él-ella-Ud.	**vuelve**	ellos/as-Uds.	**vuelven**

The verb *repetir* (to repeat) stem changes from *e* to *i* in the boot but keeps the *e* in the *nosotros* and *vosotros* forms. Notice that the second *e* changes, not the first. Since the verb ends in *–ir*, the regular *–ir* verb endings are then added.

stem-changing verb: *e → i*

repetir

yo	**repito**	nosotros	repetimos
tú	**repites**	vosotros	repetís
él-ella-Ud.	**repite**	ellos/as-Uds.	**repiten**

Other stem-changing verbs:

e:ie		**o:ue**		**e:i**	
cerrar	*to close*	almorzar	*to eat lunch*	conseguir	*to obtain, get*
comenzar	*to begin, start*	contar	*to count, tell*	decir	*to say, tell*
empezar	*to begin, start*	costar	*to cost*	pedir	*to ask for, order*
entender	*to understand*	dormir	*to sleep*	reír	*to laugh*
perder	*to lose*	encontrar	*to find, meet*	seguir	*to continue, follow*
preferir	*to prefer*	mostrar	*to show*	servir	*to serve*
querer	*to want, love*	poder	*to be able to, can*	sonreír	*to smile*
		probar	*to try food, prove*		
		recordar	*to remember*		

The verb *jugar* (to play) has a *u → ue* stem change and is conjugated as follows: ***jue**go, **jue**gas, **jue**ga, jugamos, jugáis, **jue**gan*. *Jugar* means 'to play a sport or a game,' while the verb *tocar* means 'to play an instrument.'

H. Identificar For each verb, circle the conjugated verb form that has a stem-change.

1. preferir: (tú prefieres) / nosotros preferimos
2. volver: nosotros volvemos / (yo vuelvo)
3. servir: (él sirve) / nosotros servimos
4. perder: (ellos pierden) / nosotros perdemos

Now, using the conjugations above, mark (X) in the table beside the forms of the verb that underwent a stem change.

yo	X	nosotros	
tú	X	vosotros	
él	X	ellos	X

I. Infinitivo Write the infinitive form of the conjugated verb. Then mark (X) the type of stem change the following verbs have.

	Infinitive	Conjugated verb	e → ie	o → ue	e → i
Modelo:	dormir	duermo		X	
1.	Perder	pierde	e → ie		
2.	Sonreir	sonreímos			e → i
3.	Comenzar	comienza	e → ie		
4.	Seguir	siguen			e → i
5.	Recordar	recuerdo		o → ue	
6.	Decir	dicen			e → i
7.	Contar	contamos		o → ue	
8.	Entender	entiendes	e → ie		

J. Conjugar Using what you've learned from previous exercises, fill in the missing forms of the conjugated verbs.

	almorzar	querer	repetir
yo	almuerzo	quiero	repito
tú	almuerzas	quieres	repites
él, ella, Ud.	almuerza	quiere	repite
nosotros	almuerzamos	queremos	repetimos
vosotros	almorzáis	queréis	repetís
ellos, ellas, Uds.	almuerzan	quieren	repiten

K. Escoger Circle the verb that best completes each sentence.

1. Diego (juega / prueba) fútbol los sábados.
2. Ellos (entienden / consiguen) español.
3. La clase (recuerda / comienza) a las diez.
4. El bar (almuerza / cierra) a la medianoche.
5. Siempre (pido / pierdo) agua en restaurantes.
6. Ustedes (vuelven / repiten) de clase a las seis.

L. Preguntas Answer the following questions in complete sentences.

1. ¿Qué quieres hacer mañana?

   Quiero dormir

2. ¿Con quién almuerzas durante la semana?

   Durante la semana almuerzo con

3. ¿Qué pide tu mejor amigo en McDonald's?

   Mi mejor amigo pide un McFlurry

4. ¿Entienden español tú y tus compañeros?

   Yo y mis compañeros entendemos español

5. ¿Cuántas horas duermes los fines de semana?

   Yo duermos 48 h

6. ¿Qué prefieren hacer tú y tus amigos los sábados?

   Yo y mis amigos preferimos

2.4 Me presento

Cultura: Greeting review, Small talk, Music styles
Vocabulario: Hobbies, Describing emotions
Gramática: Verb + infinitive, *estar*, Present progressive

A. Preguntas

GR 2.3c

Answer the following questions using complete sentences. Be careful with stem-changing verbs.

1. ¿A qué hora almuerzas durante la semana?

Almuerza cuando puedo

2. ¿Juegas algún deporte?

Juego fútbol

3. ¿Qué haces los sábados por la mañana?

Hago nada

4. ¿Con quién sueles salir los fines de semana?

No salgo con nadie

Isla Pacanda, MX

B. ¿Qué sueles hacer?

Three people from Spain were asked: What do you usually do with your friends? Read their responses and answer the questions that follow.

Jesús (Burgos, ES): Depende del momento, depende del día. Salgo mucho antes de[1] comer o antes de cenar. Solemos ir a tomar una cerveza o un vino y lo acompañamos con tapas. Me gustan mucho las cartas, solemos jugar mucho a las cartas. También suelo ir a andar mucho en bici, y voy al campo[2] con mis amigos, vamos mucho a pasear. También pues, a veces ir al cine, ir a conciertos de música y sobretodo salir a la calle,[3] ver gente, y comer y beber.

---
[1] *antes de* – before
[2] country, countryside
[3] street

Alicia (Burgos, ES): Solemos ir a cafeterías o damos un paseo[4] y luego a un bar. A veces vamos a cenar a casa de alguna amiga, no yo, porque vivo con mis padres, no es mi casa.

José Luis (Denia, ES): Pues, normalmente nos reunimos, por ejemplo, para ir al teatro. Solemos ver la función de teatro y después, pues, salimos un poco a cenar, a tomar algo y a pasear.

---
[4] *dar un paseo* – to go for a walk

Soler. *Soler* means 'to usually do something' or 'to be in the habit of doing something.' Copy down the five uses of *soler* + infinitive in the texts.

1.
2.
3.
4.
5.

1. *Who lives at home with their parents?*

2. *Who enjoys playing cards?*

3. *Who goes over to friends' houses to eat?*

4. *Who enjoys the theater?*

5. *Who goes out for a drink before dinner?*

C. Y tú, ¿qué prefieres?   Get in pairs and ask about your partner's preferences.

GR 2.4a

¿Prefieres correr o levantar pesas? / Prefiero correr.

hablar por teléfono / mandar mensajes de texto   charlar con amigos / escuchar música

correr / levantar pesas   ir de compras / ver una película

leer un libro / navegar por internet   dar un paseo / mirar televisión

dormir una siesta / almorzar   tomar un café / comer un helado

Now, complete these sentences using preferir *and the activities above.*

Mi novia prefiere correr a levantar pesas.

Auxiliary verbs. The verbs below are often combined with an infinitive verb:

poder + inf.	to be able to		*preferir* + inf.	to prefer to	
querer + inf.	to want to		*soler* + inf.	to usually do sthng.	
tener que + inf.	to have to				

Tengo que estudiar para el examen.   I have to study for the exam.

¿Quieres estudiar en la biblioteca?   Do you want to study in the library?

Yo …

Mi compañero/a …

Mi compañero/a y yo …

D. Lo quieres hacer   Do you want to do the things listed above? Are you able to do them? Using *poder* and *querer*, discuss in pairs whether you want to and are able to do some of the activities.

GR 2.3c

GR 2.4a

Quiero dormir una siesta, pero no puedo. Tengo que estudiar.

Quiero ir de compras y sí puedo ir hoy.

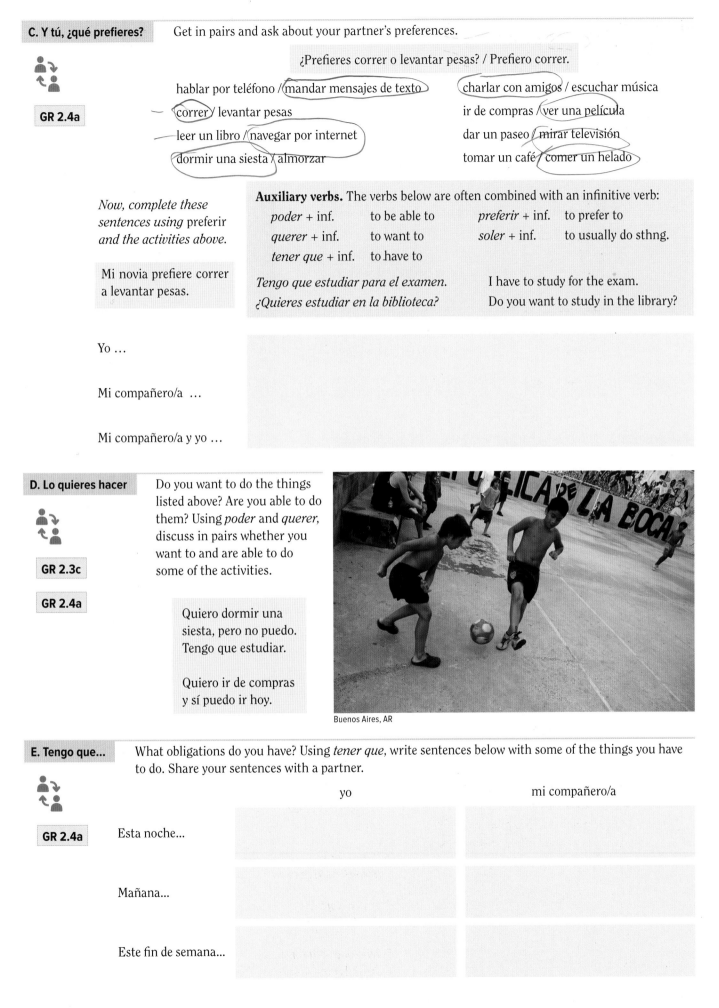

Buenos Aires, AR

E. Tengo que...   What obligations do you have? Using *tener que*, write sentences below with some of the things you have to do. Share your sentences with a partner.

GR 2.4a

	yo	mi compañero/a
Esta noche...		
Mañana...		
Este fin de semana...		

F. El fin de semana   Complete the sentences with three activities for each statement. Be as creative as possible!

GR 2.4a

Los fines de semana suelo …

Este viernes en la noche quiero …

Este domingo no puedo …

El próximo fin de semana tengo que …

Now, transform the statements above into questions for a classmate. Be sure to use the tú *form of the verbs.*

¿Qué _____ hacer los fines de semana?

¿Qué _____ hacer este viernes en la noche?

¿Qué no _____ hacer este domingo?

¿Qué _____ que hacer este fin de semana?

G. Entrevista   Interview a partner using the questions from the previous activity. Note the responses here.

GR 2.4a

Buenos Aires, AR

Did you and your partner answer any of the questions alike? If not, find something you have in common! Then, write it down below using the nosotros *form of the verb(s).*

Now, get one activity for each column from as many classmates as possible.

¿Qué sueles hacer los fines de semana?	¿Qué quieres hacer este fin de semana?	¿Qué no puedes hacer este fin de semana?	¿Qué tienes que hacer este fin de semana?

H. ¿Qué tipo de música prefieres?   Read the texts and answer the questions that follow.

Febe (Campeche, MX): Me encanta la música clásica, Tchaikovsky, Chopin. Hay un músico últimamente que he estado escuchando[1] que se llama Gheorghe Zamfir y toca una flautita.[2] Me gusta porque su música me relaja bastante.

Michelle (Querétaro, MX): A mí me gusta mucho escuchar la música americana o la música muy típica de México como mariachi. No me gusta mucho lo que son la banda y las cumbias, pero pues si las escucho en una fiesta me paro[3] y bailo. Pero me gusta mucho la música en inglés o en otros idiomas.

Renata (Veracruz, MX): Escucho de todo, excepto norteña. Depende de mi estado anímico. Cuando estoy escribiendo me gusta el jazz, la clásica. Cuando estoy en mi casa limpiando[4] me gusta la salsa. Cuando estoy contenta me gusta de todo, escucho de todo. Pero la música tipo norte no me gusta, de banda tampoco, los corridos menos aunque me parecen un fenómeno cultural muy importante, pero no los escucho para relajarme.

[1]   that I've been listening to
[2]   (small) flute
[3]   *pararse* – here: to stand up
[4]   *limpiar* – to clean

Sarah (Cuauhtémoc, MX): Me gusta de todo, me gusta el pop, me gusta el hip hop, me gusta también la música retro en español y pues, yo creo que de todo, menos country y rock pesado.

Cáceres, ES

Underline the three uses of *estar* in Renata's text and write the letter next to it (a, b or c, as introduced in the box to the right) indicating how it is being used.

The verb *estar* can be used in three main ways:

a) for location   *Perú está…*
b) with the progressive   *Estoy leyendo…*
c) with adjectives   *Está cansada.*

1. Who likes music in languages other than Spanish?

2. What types of music does Sarah NOT enjoy?

3. What type of music relaxes Febe?

4. What three types of music does Renata NOT enjoy?

5. What does Michelle do when she hears cumbia at a party?

6. What does Renata listen to when she is writing?

7. Based on their tastes, who do you think is the oldest?

8. Who has a taste in music similar to yours?

Using the texts as models, write three sentences describing your preferences in music.

I. Mi perro Volvo

GR 2.4b

Read the text below about María's dog Volvo and answer the questions in complete sentences.

María (Asturias, ES): Bueno, pues ahora tengo un perro que se llama Volvo. Tiene doce años. Fue recogido en una cuneta.[1] Los perros también tienen su carácter. Entonces, de todos los perros que tuve[2] en mi vida, que tuve muchos, éste es el que tiene unos ojos que parecen realmente humanos, porque él a través de la mirada[3] demuestra sus estados de ánimo,[4] si está contento, si está enfadado, si está cabreado,[5] si quiere algo y quiere conseguirlo y entonces pone la cara[6] y los ojos de bueno. Entonces es un perro muy inteligente.

---
[1]   ditch
[2]   *tuve* – I had (from *tener*)
[3]   look, glance
[4]   state of mind
[5]   angry, fed up
[6]   face

La Quemada, Guanajuato, MX

Estar with adjectives. Adjectives that denote a state of being usually go with *estar*. Write the three adjectives that are used with *estar*.

  1.

  2.

  3.

1. ¿Cuántos años tiene Volvo?

2. Describe dos características interesantes de Volvo.

J. Emoticonos

GR 2.4b

Pick eight states of being from the list below and draw appropriate "smiley faces" or emojis. Don't label them yet!

| agobiado/a | bien/mal | cansado/a | deprimido/a | enamorado/a |
| enojado/a | enfermo/a | feliz | frustrado/a | triste |

| 1 | 2 | 3 | 4 |
| 5 | 6 | 7 | 8 |

K. ¿Estás enfermo?

Working with a partner, take turns looking at your drawings and trying to figure out what state of being/emotion is being expressed. Then, ask your partner if he or she is feeling that way.

L. ¿Qué música escuchas?

Write down the type of music, artist or group you listen to when you feel the following ways. Then ask your classmates to respond. If they listen to what you listen to, write their name under *También lo escucha*. If not, write the name under *No lo escucha*. Only ask one question per classmate!

GR 2.4b

¿Qué tipo de música escuchas cuando estás triste? / Escucho música de Adele.

Cuando estoy…	Escucho…	También lo escucha.	No lo escucha.
triste			
enamorado/a			
enojado/a			
de buen humor			

M. Ser y estar

Distinguishing between *ser* and *estar* can be important in understanding certain questions. Answer the questions below in complete sentences.

GR 1.2b

GR 2.4b

¿Cómo eres?

¿Cómo estás?

¿Cómo es tu familia?

¿Cómo está tu familia?

¿Cómo son tus amigos?

¿Cómo están tus amigos?

N. ¿Cómo eres?

Get up and talk to several of your classmates, asking them a different question from the list above. Listen carefully to their answers to make sure they understood your question correctly. Don't forget to say hello and goodbye as well!

Mi mamá es muy bonita, amable y muy trabajadora. Ella está cansada hoy porque está enferma.

San Juan Chamula, Chiapas, MX

O. La familia de Ruth

GR 2.3b

Ruth (Castellón, ES) was asked to describe her family. Her answers, as well as the questions she was asked, are presented below.

¿Puede describir un poco a su familia, a los miembros de su familia? Bueno, yo soy divorciada. Tengo dos hijas. Mi hija pequeña tiene 13 años, mi hija mayor tiene 19. Mi hija mayor está estudiando periodismo en Valencia. Mi hija Sara, la pequeña, está estudiando en la escuela donde yo trabajo. Y con nosotros vive mi madre, que tiene 82 años.

Bueno, y ¿cómo son en cuanto a sus personalidades? Mi hija mayor es muy extrovertida, muy temperamental, muy simpática, muy cariñosa,[1] con mucho carácter. La pequeña Sara es más introvertida, no exterioriza, aunque es muy sentimental también. Es muy organizada, muy disciplinada. Son las dos bastante[2] obedientes. Y bueno, entre ellas tienen sus problemas normales de hermanas.

¿Y su madre? ¿Mi madre? Bueno, ella tiene sus problemas de la edad, con sus enfermedades, típicas de la edad. Y bueno, es una ayuda en casa,

Valencia, ES

aunque también por la edad a veces, pues, trae sus problemas.[3] Pero nos llevamos bien.[4]

---

[1] caring
[2] fairly

[3] *trae sus problemas* – she has her problems
[4] we get along well

Circle the uses of tener. *What two English meanings does* tener *have in the text?*

Answer the following questions using complete sentences.

1. ¿Quién vive con Ruth y sus hijas?

2. ¿Quién estudia en la universidad?

3. ¿Quién trabaja en una escuela?

4. ¿Qué características tienen en común las hijas de Ruth?

5. ¿Cómo es para Ruth vivir con su madre?

6. ¿Vive un hombre en la casa de Ruth?

P. ¡A dibujar!

Elda (Querétaro, MX) describes her father below. With a partner, draw a picture of what you think Elda's father looks like in the space provided. Then compare your drawing with another group's.

Mi papá es un hombre bajo de estatura,[1] tiene 60 años, es morenito,[2] es del sur de México, de Chiapas. Es un poquito llenito,[3] no tan gordo ni tan flaquito, pero llenito. Tiene cabello lacio[4] negro, ojos oscuros,[5] color café oscuro, y usa bigote[6] también.

[1] height
[2] dark skinned
[3] chubby
[4] straight
[5] dark
[6] mustache

Nuestro dibujo de su papá:

Q. Entrevista

GR 1.2c

Using the questions below, interview a classmate you have not talked to previously. Record answers under *Respuestas* and be ready to report your findings to the class using the third-person form of all verbs.

Preguntas	Respuestas
1. ¿Cómo te llamas?	Me llamo Anthony (Alex
2. ¿Cuántos años tienes?	Tengo veinte años
3. ¿De dónde eres?	Soy de chicago
4. ¿Dónde vives?	Vivo en Greene Mall Dep.
5. ¿Cómo eres?	Soy bajo
6. ¿Cómo estás?	Estoy cansado
7. ¿Cuántos hermanos tienes?	Tengo un hermano 4 hermanos
8. ¿Qué te gusta hacer los sábados?	Me gusta ver peliculas Dormir
9. ¿Qué tipo de música prefieres?	Me gusta Shawn Mendes

R. ¡A escribir!

Write a three-paragraph essay describing yourself, your best friend and your family (one paragraph each). Review the texts presented in this unit and information collected in various activities. Include the following:

- *basic information (names, ages, origin, courses of study, family makeup)*

- *personality traits*

- *physical description*

- *hobbies and professional activities (favorites, frequency, with whom and where, etc.)*

Yo soy baja, delgada y morena. Mi cabello es oscuro y mis ojos son verdes. Soy muy simpática y divertida, pero poco creativa. En la universidad soy estudiosa y responsable. No soy paciente, pero soy muy sincera.

Museo Amparo, Puebla, MX

Vocabulary 2.4

I'll take more

almorzar (ue)	to have lunch	**estar feliz**	to be happy
cantar	to sing	**estar frustrado/a**	to be frustrated
cenar	to have dinner	**estar mal**	to be bad
conocer	to know	**estar triste**	to be sad
dar un paseo	to go for a walk	**mandar (mensajes de texto)**	to send (text messages)
dormir (ue, u)*	to sleep	**pensar** (ie)	to think
estar agobiado/a	to be overwhelmed	**patinar**	to skate
estar bien	to be well	**practicar**	to practice
estar cansado/a	to be tired	**preferir** (ie, i)	to prefer
estar contento/a	to be happy, content	**querer** (ie)	to want; to love
estar de buen/mal humor	to be in a good/bad mood	**recibir**	to receive
estar deprimido/a	to be depressed	**soler** (ue)	to usually do something
estar enamorado/a (de)	to be in love (with)	**tener** (ie) **que**	to have to do something
estar enfermo/a	to be sick	**vivir**	to live
estar enojado/a	to be mad, angry		

*Note: for notes in which two stem changes are noted, such as this one, the first applies to the present tense and the second applies to a past tense, which you will learn about in *Gramática* 7.1.

2.4a Verb + infinitive constructions

When the subject is doing a sequence of actions you must conjugate all of the verbs. For example: *Diego estudia, escucha música y come.* (Diego studies, listens to music and eats.)

However, there are some verbs in Spanish that allow you to use the infinitive after a conjugated verb. This is done when there is no change of subject (i.e., when the action of the verb is done by the same person). Sometimes the sentence will translate literally to English, but that is not always the case. In the models below, you will notice that the first verb is conjugated according to the subject and the second verb is in the infinitive form. Remember that the infinitive form of the verb ends in –ar, –er or –ir.

Necesito **estudiar**.	*I need to study.*	Debemos **estudiar**.	*We should study.*
¿Quieres **bailar**?	*Do you want to dance?*	Suelo **comer** pollo.	*I usually eat chicken.*
Prefiere **jugar** tenis.	*He prefers to play tennis.*	Tienen ganas de **bailar**.	*They feel like dancing.*

Here are other common verbs that are followed by an infinitive:

–ar verbs		–er verbs	
comenzar (e:ie)	*to begin, start*	deber	*should, must, ought to*
desear	*to desire, wish*	poder (o:ue)	*to be able to, can*
empezar (e:ie)	*to begin, start*	querer (e:ie)	*to want*
esperar	*to hope*	soler (o:ue)	*to usually do something*
necesitar	*to need*	tener (e:ie) que	*to have to*
pensar (e:ie)	*to plan, intend*	tener ganas de	*to feel like*

–ir verbs

decidir	*to decide*
preferir (e:ie)	*to prefer*

A. Identificar   Circle the conjugated verbs and underline the infinitive verb forms.

Los fines de semana tengo que hacer muchas cosas. Los sábados debo estudiar, pero quiero ir al partido de fútbol americano con mis amigos. Por la noche, mis amigos tienen ganas de salir al centro. Yo prefiero ver una película porque deseo descansar. Los domingos necesito limpiar el apartamento con mis compañeros de cuarto. A veces decido cocinar también. Después de limpiar, empezamos a comer juntos. Por eso, suelo hacer la tarea los domingos por la noche.

Now, write the infinitives of the verbs you circled. These verbs are often conjugated and followed by an infinitive.

B. Escoger   Circle either *tener* or *tener que* to complete each sentence.

1. Nosotros (tenemos / tenemos que) estudiar.
2. Este semestre (tengo / tengo que) 15 créditos.
3. Mis padres (tienen / tienen que) tres hijos.
4. Tú (tienes / tienes que) hacer ejercicio.

C. Completar   Complete the following sentences in Spanish with an infinitive.

1. Yo prefiero *descansar* .

4. Mis amigos necesitan *vivir* .

2. Tengo ganas de *dormir* .

5. Los estudiantes tienen que *practicar español* .

3. Mis padres deben *mandar dinero* .

6. El/la profesor(a) quiere .

2.4b *Estar* with adjectives of emotion

You have already seen the conjugation and uses of the verb *ser*, which means 'to be.' *Estar* is another verb that means 'to be' in Spanish. The verb is irregular in the *yo* form (*estoy*). While the other forms appear to have the same –*ar* verb endings, it is important to notice the accented *á* in the second and third person forms.

estar

yo	estoy	*I am*	nosotros	estamos	*we are*
tú	estás	*you are (fam.)*	vosotros	estáis	*you are (fam.)*
Ud.-él-ella	está	*you are (form.); he/she is*	Uds.-ellos/as	están	*you are (form.); they are*

Although *ser* and *estar* both mean 'to be,' they are not interchangeable. The verb *estar* is used to indicate location and express emotion. It is also used in the present progressive tense (see Unit 2.4c Gramática). Consider the following questions: *¿Cómo estás?* and *¿Cómo eres?*. The first question asks how are you feeling, while the second question asks what are you like in terms of physical characteristics or personality traits. Remember – if it's how you feel or where you are, use *estar*.

The verb *estar* is used to express:

1. **Location:**
   ¿Dónde estás?   Estoy en la clase.   ¿Dónde está el café?   El café está al lado del banco.

2. **Emotion:**
   ¿Cómo estás?   Estoy feliz.   Estamos listos para el examen.

3. **Present Progressive (to be [verb]-ing):**
   Estoy escribiendo.   Ella está tomando café.

The verb *estar* is used with adjectives to express one's emotional and physical condition. It is important to remember that since they are adjectives, they must agree in both gender (masculine and feminine) and number (singular or plural) with the noun being described. Look at the adjective endings of these examples: *Él está enfermo. Ella está enojada. Ellos están tristes. Ellas están listas.*

These are some common adjectives used with *estar*:

aburrido/a	*bored*	feliz	*happy*
agobiado/a	*overwhelmed*	frustrado/a	*frustrated*
bien	*good*	listo/a	*ready*
cansado/a	*tired*	mal	*bad*
de buen/mal humor	*in a good/bad mood*	ocupado/a	*busy*
enamorado/a (de)	*in love (with)*	preocupado/a	*worried*
enojado/a	*angry*	triste	*sad*
enfermo/a	*sick*		

D. Identificar   Correctly conjugate the verb *estar* in the blank provided. Then circle the adjectives that are used in each sentence.

1. Ellas _estan_ agobiadas este semestre.

2. ¿Tú _estás_ enfermo hoy?

3. Yo _estoy_ enamorado de mi esposa.

4. Nosotros _estamos_ listos para el examen hoy.

5. Andrea _está_ (enojada) con su novio.

6. ¿Por qué _están_ tristes tus amigas?

7. Cuando yo no duermo 8 horas, _estoy_ cansada.

8. Mis amigos _están_ muy ocupados en el trabajo.

E. Identificar   Write the adjectives you circled under the appropriate category.

Masculino/Singular	Femenino/Singular	Masculino/Plural	Femenino/Plural
Enfermo	Enojada	Listos	Agobiadas
Enamorado	Cansada	Ocupados	Tristes

F. Emociones   Read each of the following statements. Then write a different adjective that best describes how these individuals are feeling. Remember to make the adjective agree with the subject.

aburrido	confundido	enamorado	feliz	ocupado
agobiado	de buen humor	enojado	frustrado	preocupado
cansado	de mal humor	enfermo	listo	triste

1. Laura no entiende la tarea. Está _triste_ .

2. Marcos quiere a su novia. Está _enamorado_ .

3. Ellas trabajan 12 horas el sábado. Están _ocupadas_ .

4. Tenemos una prueba hoy. Estamos _listos_ .

5. El semestre termina mañana. Estamos _de buen humor_ .

6. Tengo dos semanas de vacaciones. Estoy _feliz_ .

G. ¿Cómo estás?   How do you feel in the following situations? Write a different adjective of emotion for each situation.

1. Cuando hace mucho sol, estoy _de buen humor_ .

2. Cuando tengo un examen estoy _agobiado_ .

3. Cuando no duermo estoy _cansado_ .

4. Cuando hablo con mi mejor amigo/a estoy _feliz_ .

5. Cuando tengo mucha tarea estoy _ocupado_ .

2.4c Present progressive

The present progressive requires that you use the verb *estar* and the present participle of the verb. The present participle is formed by removing the *–ar, –er* or *–ir* ending, then adding *–ando* to *–ar* verbs and *–iendo* to *–er* and *–ir* verbs. There is only one form of the present participle and it always ends in *–o*. The verb *estar* is conjugated to agree with the subject. However, when the stem of an *–er* or *–ir* verb ends in a vowel, add *–yendo*.

Infinitive	Stem + ending	Present participle
bailar	bail + ando	bailando
hacer	hac + iendo	haciendo
escribir	escrib + iendo	escribiendo
leer	le + yendo	leyendo
oír	o + yendo	oyendo

The present progressive is used to indicate what is occurring at the moment of speaking. It is the English equivalent to an *–ing* ending, but more specific. Remember the present tense of *bailo* can mean 'I dance,' 'I do dance' or 'I am dancing.' *Estoy bailando* means 'I am dancing at this very moment.'

H. Estar   Conjugate the verb *estar* to agree with the subject. Then underline the verbs that end in *–ando* or *–iendo*.

1. Ella _____ escribiendo una composicion.

2. Nosotros _____ haciendo la tarea.

3. Yo _____ escuchando música en mi iPod.

4. Ellos _____ corriendo por el parque.

5. Tú _____ nadando en la piscina.

I. Infinitivos   Now write the verbs you underlined in the appropriate column with their infinitive form.

Verbs ending in –ando	Infinitives	Verbs ending in –iendo	Infinitives

J. Participio presente   Write the present participle for each of the following verbs.

1. cantar: _____

2. jugar: _____

3. leer: _____

4. ver: _____

5. comer: _____

6. bailar: _____

7. estudiar: _____

8. trabajar: _____

K. ¿Qué estás haciendo?   Write what you are doing at the given days and times using the present progressive.

1. Los lunes por la mañana…

2. Los jueves por la noche…

3. Los viernes por la noche…

4. Los domingos por la tarde…

Unit 2: Amigos y familia

Cultural and Communication Goals

This sheet lists the communication goals and key cultural concepts presented in Unit 2 *Amigos y familia*. Make sure to look them over and check the knowledge and skills you have developed. The cultural information is found primarily on the website, though much is developed and practiced in the print *cuaderno* as well.

I can:

- [ ] describe in basic terms some of my hobbies and interests
- [ ] describe how my interests change according to season
- [ ] describe what I do on a typical weekend
- [ ] talk about music styles that I like
- [ ] talk about music I listen to
- [ ] conjugate basic verbs in the present tense
- [ ] describe what I do to relax
- [ ] describe what my friends like to do
- [ ] describe the personality of my friends and family
- [ ] compare people in basic terms
- [ ] describe what I think is important in a good friend
- [ ] describe my extended family
- [ ] recognize and pronounce a variety of Spanish names
- [ ] conjugate *tener* and *venir* in the present tense
- [ ] describe my pets

I can explain:

- [ ] differences between North America and Spanish-speaking countries in how they view work vs. relationships
- [ ] how I might need to change my attitude towards efficiency vs. relationships when communicating with Spanish speakers
- [ ] differences in terms of how sports activities are organized
- [ ] key soccer rivalries in the Spanish-speaking world
- [ ] how the word *ver* means both 'to watch' and 'to see'
- [ ] how the idea of friendship can be viewed differently in the US/Canada and Spanish-speaking countries
- [ ] how *apodos* often work in Spanish-speaking countries
- [ ] some differences in 'directness' between US/Canada and Spanish-speaking countries
- [ ] some key elements of the view of family in Spain
- [ ] some key elements of the view of family in Mexico
- [ ] a few differences in greetings and small talk between US/Canada and Spanish-speaking countries
- [ ] *norteñas, corridos, cumbia, salsa* and *flamenco*
- [ ] the difference between *conocer* and *saber*

Unit 3 Modo de vivir

Písac, PE

Unit 3 – *Modo de vivir* (Way of life)

In Unit 3 you will learn how to talk about your belongings in Spanish, including what you have and don't have, particularly with internet devices. You will learn to describe your course load and your academic interests and how to compare them to what is typical at Spanish-speaking universities. You will also learn to describe clothing and your living space (house, apartment, etc.) and how to compare them to what is common in Spanish-speaking countries. In addition, you will learn phrases to talk about common outdoor activities.

Below are the cultural, proficiency and grammatical topics and goals:

Cultura

Student life at Spanish-speaking universities
Attitudes toward clothing
Living spaces
View of the outdoors

Comunicación

Expressing items you have or don't have
Describing daily routines
Describing personal spaces
Expressing opinions about outdoor activities

Gramática

3.1a *Estar* with prepositions of location
3.1b *Ir*
3.2a Reflexive verbs
3.2b Reciprocal reflexives
3.3 Review verb conjugations
3.4 Review *gustar*

3.1 Vida estudiantil

Cultura: Student life, Student movements, Translations
Vocabulario: School items, Prepositions for location
Gramática: *Estar* with prepositions of location; the verb *Ir*

A. ¿Qué tienes?

GR 1.1a

Write the Spanish word for each object below and decide if you use it in your *habitación* (H) and/or in *clase* (C).

los anteojos	el cuaderno	la hoja	la mochila
el bolígrafo	el escritorio	el lápiz	la pizarra
la calculadora	el estéreo	el libro	el reloj
el celular	el fax	el mapa	la silla
la computadora	la goma	la mesa	la televisión

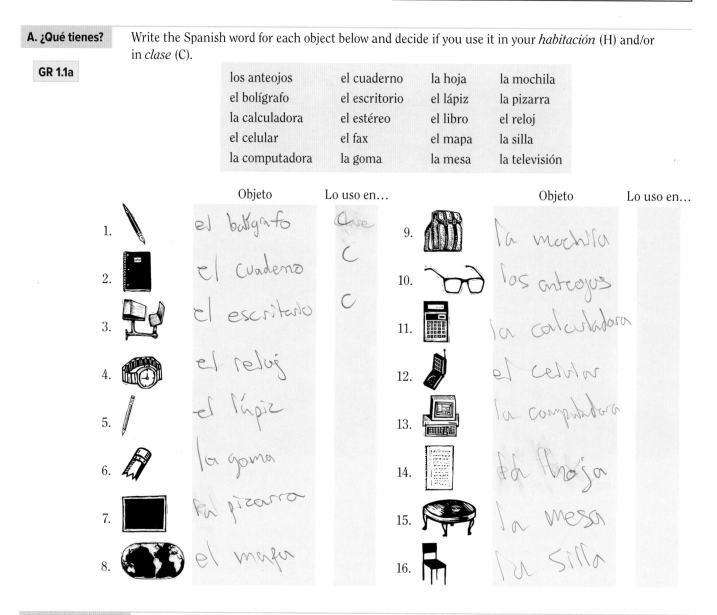

	Objeto	Lo uso en…
1.	el bolígrafo	Clase
2.	el cuaderno	C
3.	el escritorio	C
4.	el reloj	
5.	el lápiz	
6.	la goma	
7.	la pizarra	
8.	el mapa	

	Objeto	Lo uso en…
9.	la mochila	
10.	los anteojos	
11.	la calculadora	
12.	el celular	
13.	la computadora	
14.	la hoja	
15.	la mesa	
16.	la silla	

B. ¿Tienes un lápiz?

GR 2.3b

Ask if your partner has six objects of your choosing from the previous activity and where your partner uses them. Take notes below.

¿Tienes un lápiz?   Sí, tengo un lápiz. / No, no tengo un lápiz.
¿Dónde usas un lápiz?   Uso un lápiz en la clase.

¿Tienes … ?

¿Dónde usas … ?

C. Lo más importante

What would be the hardest thing for you to live without? Using the items below, choose and rank the three most important ones to you. Also, pick the object you care least about.

| portátil | televisión | anteojos | carro | bicicleta |
| celular | calculadora | reloj | mochila | tarjeta de crédito |

Preferencias	Yo	Compañero/a #1	Compañero/a #2
No puedo vivir sin …			
No me importa …			

Now, share your list with two classmates. How many items do you have in common?

No puedo vivir sin mi computadora, mi carro y mi teléfono celular. No me importa mi mochila.

D. Para nosotros

From all objects listed on the last page, what do you think are your classmates' top three items? Write your hypothesis in the space below.

Hipótesis

Now survey as many of your classmates as you can in the time allotted by your instructor.

¿Cuáles son los objetos más importantes para ti?

La clase

Madrid, ES

E. ¿Qué compras?

Working with a different partner, pick an object and ask if your partner buys it for their classes this semester. See how many items you have in common.

¿Compras cuadernos?
Sí, compro tres cuadernos.

¿Compras una mochila?
No, ya tengo una mochila.

F. ¿Qué traes contigo a clase?   What things do you bring to class with you? Fill in the chart below with three classes you are taking this semester. Then write an X below the items you bring to each class.

GR 2.1b

Mis clases	lápiz	pluma	calculadora	tarea	diccionario	libro	computadora
	☐	☐	☐	☐	☐	☐	☐
	☐	☐	☐	☐	☐	☐	☐
	☐	☐	☐	☐	☐	☐	☐

Now, ask a partner for three of his or her classes this semester and try to guess what they bring to class. Then, confirm your guesses with your partner.

¿Traes un lápiz, un diccionario, tu tarea y el libro a la clase de español? / No, no traigo un diccionario a la clase de español. (¡Qué horror!)

Sus clases	lápiz	pluma	calculadora	tarea	diccionario	libro	computadora
	☐	☐	☐	☐	☐	☐	☐
	☐	☐	☐	☐	☐	☐	☐
	☐	☐	☐	☐	☐	☐	☐

G. Arte moderno

GR 3.1a

Using the school supplies you brought to class with you today, work in small groups to create a sculpture. Then, move to the sculpture of another group and describe the objects in the sculpture and their location in relation to other items.

***Estar* with prepositions.** Use *estar* with prepositions showing location.

estar encima de	to be on top of
estar debajo de	to be underneath
estar a la izquierda de	to be to the left of
estar a la derecha de	to be to the right of
estar al lado de	to be next to
estar enfrente de	to be in front of
estar detrás de	to be behind
estar dentro de	to be inside of

La escultura usa tres lápices, dos cuadernos, un libro y una calculadora. Los lápices son todos azules y están encima de los dos cuadernos. Forman un triángulo. Al lado del cuaderno está el libro de español y la calculadora.

Tarragona, ES

Now, take a look at the sculptures from other groups and nominate them for the following awards:

- La más creativa
- La más bonita
- La más fea
- La más extraña

H. Nombres

Jesús, who has lived in Ohio, Michigan and Texas, but was born in Chihuahua, Mexico, was asked to talk about his many names. Read the interview and complete the activities that follow.

Cuenca, ES

Mi nombre es Jesús, pero mi familia en México me llama "Alonso" y mi familia en Texas también. Nunca me han llamado por "Jesús." Pero en el kindergarten, en una escuela americana, la primera cosa que pasó fue que me cambiaron[1] el nombre de "Jesús" a "Jesse." De ese tiempo hasta hoy mi nombre ha sido "Jesse," y no lo he podido[2] cambiar. Para mí, el nombre "Jesse" es mi nombre en los Estados Unidos, es mi nombre en la cultura de los Estados Unidos. Guardo[3] el nombre "Alonso," o el nombre "Jesús," para mis amigos o para mi familia.

¿Qué piensas de la práctica de usar nombres hispanos en clase de español?

Hay veces que en la clase de español los estudiantes se ríen[4] y no respetan el significado de los nombres que adoptan. A lo mejor no respetan a la gente que tiene ese nombre. La idea se me hace un poco vieja. Sé que la clase no tiene que ser tan formal, tienen que tener un poquito de tiempo en que puedan jugar.[5] Pero hay veces que veo que gente se cambia el nombre y hacen una farsa[6] del nombre, y eso como que no suena[7] bien.

---

[1] *cambiaron* – they changed
[2] *no he podido* – I haven't been able to
[3] (I) keep, save
[4] *se ríen* – laugh

[5] *jugar* – to play
[6] mockery
[7] *sonar* – to sound

Indicate who calls Jesús by the following names and in what circumstances.

Jesús

Alonso

Jesse

Using language elements from the second paragraph of the text, how would you say the following in Spanish?

There are times my parents don't respect my opinion.

The idea seems very important to me.

I know the solution doesn't need to be perfect.

I. Apodos

What nicknames do you have? In small groups, discuss the nicknames you have in your family, with friends, from childhood and any others.

J. Si quiero...

GR 3.1b

Write the places you would go to if you wanted to do the following activities.

Si quiero …	Voy …
ir de compras y pasear.	
estudiar para un examen.	
dormir una siesta.	
levantar pesas.	
sacar un libro.	
ver una película.	
asistir a un partido de béisbol.	
ir al bautismo de mi primo.	

Si quiero comer y beber…
Voy al restaurante.
Voy a la cafetería.

More vocabulary. Can you guess what these words mean?

apartamento · gimnasio
hospital · cine
teatro · estadio
parque · restaurante

K. ¿Y tú?

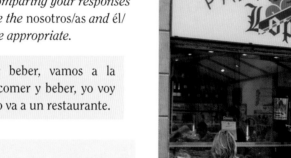

GR 3.1b

Using four examples from the previous activity, ask a partner where he or she goes. Jot down notes in the space below. Use the *tú* form of the verbs when talking to your partner.

Si quieres comer y beber, ¿adónde vas?
Voy a la cafetería. / Voy a un restaurante.

Now, write two sentences comparing your responses to those of your partner. Use the nosotros/as *and* él/ella *forms of the verbs where appropriate.*

Si queremos comer y beber, vamos a la cafetería. Si queremos comer y beber, yo voy a la cafetería, pero Pedro va a un restaurante.

Barcelona, ES

L. Acrónimos

Every school has institution-specific acronyms, from building names, to student organizations to campus events. In groups of three, take turns spelling school acronyms in Spanish. Does everyone in your group know what the acronyms stand for?

M. ¿Dónde estás?   Complete the table given below by writing where you typically are during the specific days and times.

GR 3.1a

A las…	los lunes	los jueves	los sábados
09:00			
14:30			
18:00			
23:15			

Now, fill in the same chart for your partner by asking them questions.

A las…	los lunes	los jueves	los sábados
09:00			
14:30			
18:00			
23:15			

¿Dónde estás a las nueve los sábados?
Estoy en mi cama. / Estoy en el gimnasio.

Remember that a 24-hour clock system is often used in Spanish-speaking countries.

N. ¿Dónde está…?   You are asked to describe the location of the following places or buildings on campus to a study-abroad student who is attending your university. Work with a partner to describe the location. Be as detailed as possible. When you are done, add a couple of places or buildings that are especially important to your campus.

GR 3.1a

Zacatecas, MX

El teatro está al norte del campus. Está cerca del centro de la ciudad, enfrente del cine. Es un edificio grande y blanco. Está en la calle Main.

está al lado de	está al norte / sur / este / oeste de
está cerca / lejos de	está a la derecha / izquierda de
está dentro de	está detrás / enfrente de

1. el gimnasio

2. la biblioteca

3. tu residencia estudiantil

4.

5.

O. Sistemas universitarios

The following are responses to the question: How would you compare universities in your country with universities in the United States?

Abraham (Monterrey, MX): La diferencia entre las universidades es bastante. Principalmente, la gente en México no vive en el campus, a menos que seas un estudiante extranjero o vengas de otro estado. No hay residencias estudiantiles, no hay comidas. Únicamente, hay un puestecito[1] donde hay sándwiches y todo eso. Esa es la mayor diferencia. Y tienes que usar transportación pública para ir a la universidad ahí.

María (Buenos Aires, AR): El sistema universitario es radicalmente diferente en América Latina, es mucho más parecido al sistema europeo. Por ejemplo, no existe el equivalente a *college*. Al terminar la escuela secundaria, tienes que elegir[2] tu carrera. Si quieres estudiar medicina, vas a la universidad de medicina, si quieres estudiar ingeniería, vas a la universidad de ingeniería. Generalmente, los estudiantes viven con sus padres cuando estudian, y es muy probable que trabajen a la mañana y que estudien a la tarde, o vice versa. Una vez que terminan su universidad, recién ahí se mudan afuera de la familia.

Durango, MX

Iciar (Madrid, ES): El ambiente universitario en la Complutense es totalmente distinto. La universidad por ejemplo, es muchísimo más grande. Además, hay mucha distancia entre alumno y profesor, no es como en los EE.UU., que hay muy pocos alumnos por clase. No tienes tantos deberes como aquí en los EE.UU. y los exámenes no son *tests* sino que tienes que redactar.[3]

---

[1]   (food) stall
[2]   *elegir* – to choose

[3]   *redactar* – to write (i.e., essays)

Match the following statements to Abraham (A), María (M) or Iciar (I) and place the number of the statement where it is found in the text.

A/M/I

1. *Students usually live with their parents throughout their university schooling.*

2. *There is not such a collegial relationship between students and professors, in part because there are many students per professor.*

3. *On campus there is merely a small kiosk that sells food, not large cafeterias.*

4. *A college system does not really exist.*

5. *Course evaluations consist of essay exams and not so much homework or tests.*

6. *Students come to campus on buses and other public transportation.*

7. *He or she attends a very large university.*

8. *Students do not live on campus unless they are foreign students or come from other states.*

9. *Immediately after high school, students must choose what they want to study and enter career-specific educational programs.*

P. ¡A jugar!

In groups, play the following version of the board game "Clue." First, write your names in the left column. Then as a group, add two locations to *Lugar* and two objects to *Objeto*. Take turns being the assassin and the detectives. The assassin picks a person, location and object for the murder. The detectives take turns asking yes/no questions. You cannot use any names of people, places or objects, of course! If you think you know the correct combination, you may guess after your question.

Persona:	¿Tiene pelo rubio?
	¿Está cansado o cansada?
	¿Trae una mochila azul?
Lugar:	¿Es un lugar donde duermo?
	¿Es un edificio grande?
	¿Está al norte del campus?
Objeto:	¿Uso el objeto para escribir?
	¿Es un objeto pequeño?

Persona	Lugar	Objeto
el/la instructor(a)	*el gimnasio*	*un bolígrafo*
	la clase de español	*su teléfono celular*
	la biblioteca	*un televisor*

Q. ¿Adónde vas?

Indicate the places you go and what you like to do given the situations below.

GR 3.1b

Cuando …	¿Adónde vas?	¿Qué haces?
hace frío y nieva		
estás aburrido/a		
hace sol y hace calor		
estás cansado/a		
llueve		
estás enfermo/a		

Share your responses with a partner. Take notes to report. Remember to use the él/ella *and* nosotros/as *forms of the verb* ir *where appropriate.*

R. ¡A escribir!

Review the information you have collected on yourself and your classmates in this chapter. Write a creative essay that describes a typical day in the life of someone in your class. Feel free to embellish. Be sure to include the following information:

- *objects this person brings to class or has at home (what object is most important to him or her?)*

- *places this person visits during the day and the activities they do*

- *a description of at least one building they visit and its location*

Museo del Prado, Madrid, ES

Vocabulary 3.1

el apartamento	apartment	el restaurante	restaurant
la biblioteca	library	la tiza	chalk
el bolígrafo	pen	asistir (a)	to attend (sth.)
el borrador	eraser	estar a la derecha de	to be to the right of
la calculadora	calculator	estar a la izquierda de	to be to the left of
la carpeta	folder	estar al lado de	to be next to, beside
la casa	house	estar debajo de	to be under, below
el celular	cell phone	estar dentro de	to be inside of
el centro	downtown	estar detrás de	to be behind
el cine	movie theater	estar encima de	to be on top of
la computadora	computer	estar enfrente de	to be in front of
el cuaderno	exercise book; notebook	ir	to go
el escritorio	desk	necesitar	to need
el estadio	stadium	traer	to bring
el gimnasio	gym	usar	to use
el lápiz	pencil		
el libro	book		
el marcador	marker	¿En qué página?	On what page?
la mochila	backpack	Lo siento	I'm sorry
el parque	park	No hice la tarea	I didn't do the homework
la pizarra	blackboard	Por favor	Please
el portátil	laptop computer	Tengo una pregunta	I have a question
la residencia estudiantil	dormitory		

3.1a *Estar* with prepositions of location

The verb *estar* is also used with prepositions to express location. Remember that the verb must agree with the subject. For example: *¿Dónde están?* (Where are you?), *Estamos en la clase.* (We are in class.), *Estoy lejos de la universidad.* (I am far from the university.)

Here are some prepositions used with *estar*:

al lado de *next to*	cerca de *near*	detrás de *behind*
a la derecha de *to the right of*	debajo de *below*	encima de *on top of*
a la izquierda de *to the left of*	delante de *in front of*	lejos de *far from*

When the preposition *de* comes before the definite article *el*, the two words form the contraction *del*. A contraction is when you combine two words to form one word. (In English, the word don't is a contraction of the words 'do not.') In Spanish, the only contractions are *del* and *al*. So *de + el* becomes *del* and the two become one. Likewise, *a + el* becomes *al*. This only occurs with the definite article *el*. The definite articles *la, los* and *las* do not form contractions.

So:

Los libros están encima **del** escritorio.

But:

Los libros están encima…
de la mesa.
de los escritorios.
de las sillas.

A. Identificar   Read Roberto's description of his room. Then circle the conjugations of the verb *estar* and underline the prepositions of location.

Cuando entras a mi cuarto hay un estante contra la pared de enfrente. El armario está a la izquierda del estante. La cama está a la derecha del estante y contra la misma pared. Hay una ventana al lado de la cama y la mesita de noche está debajo de la ventana. El escritorio está contra la otra pared y está a la derecha de la puerta. Mi computadora está encima del escritorio y la silla está enfrente del escritorio.

B. Identificar   Circle the preposition that best completes each sentence.

1. La silla está (al lado de / encima de) la televisión.

2. Los zapatos están (debajo de / encima de) la mesa.

3. México está (cerca de / lejos de) España.

4. Los libros están (delante del / encima del) escritorio.

5. El sillón está (a la derecha del / debajo del) sofá.

6. Chile está (al oeste de / al este de) la Argentina.

C. ¿Dónde está? Choose four of the items provided and indicate where they are in your house or apartment.

| la cama | el escritorio | el estante | ~~la lámpara~~ |
| la silla | el sillón | el sofá | la televisión |

Modelo: *La lámpara está al lado de la ventana en la sala.*

1.
2.
3.
4.

D. Escoger Complete each sentence by selecting either *ser* or *estar*.

1. El libro (es / (está)) encima del escritorio.
2. José y Marcos ((son) / están) de Uruguay.
3. (Es / Está) el treinta de noviembre.
4. Francisco (es / (está)) estudiando.
5. Ustedes ((son) / están) trabajadores.
6. Tú ((eres) / estás) alto y simpático.
7. ¿De dónde (son / están) ustedes?
8. Usted ((es) / está) mi profesor.
9. Nosotros ((somos) / estamos) estudiantes.
10. Jorge ((es) / está) mexicano.

3.1b *Ir*

The verb *ir* means 'to go.' Like *ser* and *estar*, it is also an irregular verb, which means you need to memorize the conjugations. Notice the endings are the same as an –*ar* verb with the exceptions of *voy* and *vais*, which do not have an accent.

ir

yo	**voy**	nosotros/as	**vamos**
tú	**vas**	vosotros/as	**vais**
él-ella-Ud.	**va**	ellos/as-Uds.	**van**

Ir is used with the preposition *a* to indicate where you are going. When the preposition *a* is followed by the definite article *el*, the two form the contraction *al*. The contraction only occurs with the definite article *el*. The definite articles *la*, *los* and *las* do not form contractions.

So: But:

		a la playa.
Voy **al** centro.	Van...	**a los** restaurantes.
		a las panaderías.

E. Identificar Circle the correctly conjugated form of the verb *ir* to complete each sentence.

1. Esteban (van / (va)) a la biblioteca a las ocho de la mañana.
2. Mis amigos y yo (voy / (vamos)) al centro (cada) fin de semana.
3. ¿Tú ((vas) / vamos) al gimnasio todos los días?
4. Yo ((voy) / vamos) al centro comercial con mi padre.
5. Los novios (vas / (van)) a un restaurante para celebrar su aniversario.

F. ¿Con qué frecuencia van? How often do your friends and family go to these places? Write the name of a different person for each place and indicate how often they go there.

cada día	*every day*
una vez a la semana	*once a week*
cada viernes	*every Friday*
dos veces al mes	*two times a month*
cada semana	*every week*
una vez al año	*once a year*

¿Con qué frecuencia van...

Modelo: ...al cine?   *Mi novio y yo vamos al cine una vez al mes.*

1. ...a un restaurante?   Mis amigos y yo vamos al restaurante una vez al mes

2. ...al gimnasio?   Yo voy al gimnasio cada Mercoles

3. ...a un café?   Mis

4. ...a una discoteca?   Mi mama y

3.2 De moda

Cultura: Moda, Currencies, Attitudes towards living spaces
Vocabulario: Clothing & daily routine, Colors
Gramática: Reflexive verbs & reciprocal reflexives

A. Ropa

GR 1.1b

Write at least three items of clothing these people are wearing that you can see. Add in color adjectives where possible.

unos pantalones cortos azules, una camisa blanca, unas sandalias café

1.

2.

3.

4.

5.

6.

amarillo – *yellow*	brillante – *bright*	negro – *black*		el abrigo – *coat*	las gafas – *glasses*
anaranjado – *orange*	café – *brown*	oscuro – *dark*		la blusa – *blouse*	los jeans – *jeans*
azul – *blue*	claro – *light*	rojo – *red*		la camisa – *shirt*	el saco – *jacket*
rayado – *striped*	gris – *gray*	rosado – *pink*		la camiseta – *T-shirt*	el sombrero – *hat*
blanco – *white*	morado – *purple*	verde – *green*		la falda – *skirt*	el suéter – *sweater*

B. ¿Quién lleva eso?

Write at least three clothing items you are wearing right now on a 3x5 card and write your name on the back of the card. Remember to use color adjectives. Then listen as your instructor reads the descriptions and try to guess who is being described.

C. El clima y la ropa

GR 1.4a

List at least two items of clothing that you would wear under these weather conditions. Then, compare your answers with a partner.

¿Qué ropa te pones cuando hace viento?
Me pongo unos jeans y un saco.

Cuando …	Me pongo …	Mi compañero/a se pone …
hace mucho frío		
nieva		
hace calor		
llueve		
hace fresco		

Now, write one sentence comparing what you and your partner wear in different weather.

D. ¡A dibujar!

GR 1.1b

Bring a picture or photo of a person to class. Have your partner make a drawing on a separate piece of paper as you describe what the person is wearing. Describe at least five clothing items. Be sure to include colors and adjectives. Then, compare your partner's drawing to the photo. Any serious artists in the class?

alto	corto	largo
ancho	delgado	mediano
bajo	feo	pequeño
bonito	grande	ridículo

E. ¿Cuánto pagas?

In groups, ask how much each of you pays for the clothing items.

camisa	saco
zapatos	gafas de sol
jeans	traje

¿Cuánto pagas por una corbata? / Pago 60 dólares.
¡Qué horror! Yo no pago más de 10 dólares.

F. Moneda

In groups, guess which currency belongs to which country.

1. _____ peso   a. Perú
2. _____ dólar estadounidense   b. México
3. _____ boliviano   c. Nicaragua
4. _____ colón   d. España
5. _____ quetzal   e. Bolivia
6. _____ bolívar   f. Costa Rica
7. _____ córdoba   g. Guatemala
8. _____ euro   h. Venezuela
9. _____ guaraní   i. Ecuador
10. _____ nuevo sol   j. Paraguay

Santiago de Compostela, ES

G. Recuerdos   Read the following reflections and memories of clothing-related experiences and complete the activities below.

Ciudad de México, MX

Eva Luisa (Denia, ES): Una de las cosas que más recuerdo de la dictadura era las modas.[1] Todo el mundo tenía que ir vestido igual.[2] Hoy en día tú puedes llevar cualquier tipo de ropa o de cosa, y sigues estando siempre de moda, porque tienes libertad de expresión. Por ejemplo, antes sólo nos permitían llevar pantalones vaqueros[3] cuando venía la semana santa, porque íbamos[4] al campo. Durante el año no podíamos llevarlos. Casi toda la gente de mi generación, los "hippies" de los 70, éramos muy rebeldes, porque luchábamos[5] por una libertad de expresión, una libertad de ser.

Carlos (Ciudad de México, MX): Pues en la secundaria tenías que ir con tu uniforme limpio, zapatos negros, pelo corto, no podías usar tenis, y llevar tu credencial, porque si no, no te dejaban entrar a la escuela.

Jesús (Chihuahua, MX): Mi papá llegó a una edad en que él ya no quería usar botas. Fue lo que fue. Me dio todas sus botas, y desde ese tiempo, me empecé a comprar y a ponerme botas. Y en eso

---

1   fashion
2   dressed the same
3   jeans
4   *íbamos* – we went
5   we fought

me siento muy mexicano, en cosas chicas, como las botas, los cintos, la ropa mexicana, ropa que es más *western*. Cuando he ido a tiendas mexicanas en Chicago, en Kansas City, o en Texas, la ropa es muy *western*: botas, las camisas, los pantalones. Y en eso, cuando me pongo las botas, me siento muy mexicano. Cuando me pongo yo unos *Docksiders*, unos *boat shoes*, me siento muy americano, no sé por qué. Me siento muy americano cuando me pongo *boat shoes* y muy mexicano cuando me pongo botas.

Identify words for clothing in the texts above and circle one example of each.

Match the following statements to Eva Luisa (EL), Carlos (C) or Jesús (J) and place the number of the statement where it is found in the text.

EL/C/J

1. Whenever I go into stores, the clothing is very western.

2. We were all rebels because we were fighting for a freedom of expression, a freedom of being.

3. You had to have short hair.

4. We were only allowed to wear jeans on Easter because we would go visit the countryside.

5. I feel really American when I put on boat shoes and really Mexican when I put on boots.

6. You couldn't use tennis shoes, just black shoes.

7. My dad gave me his boots and from then on, I began to buy and wear boots.

8. Unlike today, everyone had to dress alike.

What clothing is currently fashionable among your friends or at your university? Write a short description including at least three items of clothing.

H. ¿Qué te pones?

GR 3.2a

What do you wear when you do the following activities? Fill in the chart with two clothing items for each one.

¿Qué te pones cuando …   Me pongo …

1. asistes a clases?

2. vas a una fiesta?

3. vas a la playa?

4. tienes una entrevista profesional?

I. Ellos se ponen…

GR 3.2a

Exchange the information from the previous activity with two classmates.

_____ se pone …   _____ se pone …

1.   1.

2.   2.

3.   3.

4.   4.

Now, write one sentence comparing similarities and differences with your classmates.

Cuando asistimos a las clases, yo me pongo… pero Paula se pone… Nosotros nos ponemos…

J. Mi ropa favorita

Describe a favorite clothing item that you own. Be as detailed as possible.

Me encanta mi camiseta de fútbol del Barcelona. Es azul y roja. Es el número 10 de Messi.

Zamora, ES

K. ¿Y la clase?

Survey as many people in your class as possible in two minutes. What seems to be the most popular clothing item?

¿Cuál es tu prenda de ropa favorita?

L. Identificar

GR 3.2a

GR 3.2b

Circle the reflexive or reciprocal pronoun and underline the verb.

1. Mi esposa se viste para el frío.

2. Me pongo zapatos para salir.

3. Mi novio y yo nos llamamos.

4. Las chicas se saludan con un abrazo.

5. ¿A qué hora te levantas tú?

6. ¡Nos vemos pronto, amigo!

Mosaico de Joan Miró, La Rambla, Barcelona, ES

M. Verbos pronominales

GR 3.2a

GR 3.2b

Select the best verb to complete each sentence and conjugate it using the appropriate pronoun.

1. Cuando leo un libro, yo _____ (relajarse / vestirse) en el sofá.

2. Mis amigos y yo _____ (llamarse / saludarse) con un beso.

3. Diego _____ (divertirse / dormirse) cuando va a un festival de música rock.

4. Cada domingo, las chicas _____ (hablarse / juntarse) mucho por teléfono.

5. Mi novio y yo no _____ (levantarse / verse) mucho durante la semana.

6. ¿Por qué _____ (acostarse / ponerse) tú tarde los miércoles?

N. Tú y tus amigos

GR 3.2a

GR 3.2b

Answer the questions in complete sentences using the appropriate pronoun. Make sure to place it in the correct position in relation to the verb.

¿Qué haces para divertirte con tus amigos los fines de semana?

¿A qué hora te acuestas si sales con amigos?

¿Con qué frecuencia se hablan por teléfono tú y tus amigos?

¿Qué haces para relajarte cuando estás solo?

O. Entrevistas

GR 1.2c

Using the questions from the previous activity, interview two classmates. Take notes below.

Compañero/a #1:

Compañero/a #2:

Ondárroa, ES

P. Comparaciones

GR 2.2a

GR 2.2b

Pick two questions from activity N to write about, comparing your answers to those of your classmates. Be prepared to share your writing with the class.

Para divertirnos los fines de semana, Javier, Gonzalo y yo salimos con amigos y vemos películas. Javier juega fútbol, pero Gonzalo y yo no jugamos. Yo prefiero escuchar música y navegar por internet.

Q. Necesito ponerme...

GR 3.2a

Working in pairs, decide what clothing you would need to wear for the following activities.

Para levantar pesas, necesito ponerme...

relajarte	salir en una cita (date)
nadar	levantar pesas
viajar	acostarte

Pronominal verbs. Remember that the pronouns agree with the subject of the verb:

yo – me	nosotros/as – nos
tú – te	vosotros/as – os
él/ella/Ud. – se	ellos/ellas/Uds. – se

With a few exceptions, pronouns go before the verb. One exception is the infinitive:

Yo me levanto tarde los sábados.

Para relajarme, leo un libro.

R. La rutina diaria

GR 3.2a

Carlos and Augusto comment on their daily routines from when they were university students. Read the texts and then complete the activities that follow.

Carlos (C. de México, MX): Un típico día allá, es empezar a las siete de la mañana, a la escuela. Tomas tus clases, sales a la una, te vas a comer, regresas[1] a clase de cuatro a cinco de la tarde, y de ahí te puedes ir a tomar un café, una cerveza con los amigos, al cine, y ya después: a dormir.

Augusto (Buenos Aires, AR): Un día típico de estudio, es levantarse temprano a la mañana, juntarse con cuatro, cinco amigos en una casa a estudiar hasta las cuatro, cinco de la tarde. Si tienes clases o tienes que entregar[2] algún trabajo práctico, vas a la facultad a entregarlo. Si al otro día tienes clases, a dormir temprano y a levantarse temprano a estudiar porque la facultad es bastante difícil. Y cuando estás sin clases o sin exámenes, es intentar no ir a la facultad, o sea, ir lo menos posible.

Trabajando ya es otra cosa. Me levanto temprano a la mañana, desayuno algo rápido y me voy a

Barcelona, ES

trabajar. Vuelvo después de trabajar, de entre diez y doce horas, cansadísimo. Con suerte voy al gimnasio para relajarme un poco, como algo y con suerte, a veces nos juntamos a tomar una cerveza con algún amigo o algo, y si no, a dormir temprano.

---

[1] *regresar* – to go back
[2] *entregar* – to hand in

Identify the pronominal verbs in the texts above. Circle one example of each verb that appears.

Identify reflexive pronouns attached to the end of an infinitive. Underline each unique example.

Answer the following questions according to the texts above. Use complete sentences, and place the number of the question where the answer is found in the text.

1. ¿A qué hora se levanta Carlos en un día típico?

2. ¿Qué hace Carlos a la una?

3. ¿Qué hace Carlos después de clases con sus amigos?

4. ¿Con quién se junta Augusto para estudiar?

5. ¿Cuándo va a la facultad Augusto?

6. ¿Cuántas horas trabaja Augusto por día?

7. ¿Qué hace Augusto para relajarse después del trabajo?

S. Tus opiniones   Referencing the texts by Carlos and Augusto, answer the following questions. Use complete sentences.

1. ¿Tienes hábitos de estudio similares a Carlos y a Augusto? Describe semejanzas y diferencias.

2. ¿Cuál rutina estudiantil prefieres: la rutina de Carlos o la rutina de Augusto? Explica.

3. ¿Es más difícil la rutina estudiantil o profesional de Augusto? Explica.

T. Mi rutina diaria

GR 3.2a

Using the texts from the previous page as models, write a paragraph that includes five things you do as part of your daily routine. Use at least three pronominal verbs.

Generalmente, me levanto a las seis de la mañana para nadar. Asisto a clases por la mañana. Me junto con amigos para estudiar por la tarde, y a veces, salimos a comer algo para divertirnos. Me acuesto a las once o doce de la noche.

U. Su rutina diaria

Pick two questions from activity N to write about, comparing your answers to those of your classmates. Be prepared to share your writing with the class.

Zihuatanejo, MX

V. ¡A escribir!

Look back over the information you have collected on yourself and your classmates in this chapter. Choose one of the following events to write about. Include a detailed description of what you wear, what you do to prepare for the event and what you do at the event.

- *a formal date with the person of your dreams*
- *the first morning of a beach vacation*
- *the afternoon of an important sports game*
- *the night of a weekend party*

As you write, focus on adjective agreement and the correct use of any pronominal verbs.

Vocabulary 3.2

el abrigo	coat	**abrazar(se)**	to hug (each other)
la blusa	blouse	**acostarse** (ue)	to go to bed
las botas	boots	**besar(se)**	to kiss (each other)
los calcetines	socks	**comprar**	to buy
la camisa	shirt	**dar(se)**	to give (each other)
la camiseta	t-shirt	**divertirse** (ie, i)	to enjoy oneself, have a good time
el camisón	nightdress	**dormirse** (ue, u)	to go to sleep
la chaqueta	jacket	**irse**	to go away, leave
el cinturón	belt	**juntarse**	to get together, meet
la colada	laundry	**levantarse**	to get up
la corbata	necktie	**llamarse**	to be named
la falda	skirt	**llevar**	to wear
las gafas (de sol)	(sun)glasses	**pagar**	to pay
los jeans	jeans	**ponerse**	to put on
los pantalones (cortos)	pants, (shorts)	**relajarse**	to relax
la ropa	clothing, clothes	**saludar(se)**	to greet (each other)
el saco	jacket	**ver(se)**	to see (each other)
las sandalias	sandals	**vestirse** (i, i)	to get dressed
el sombrero	hat	**volver** (ue)	to return, come back
la sudadera	sweatshirt		
el suéter	sweater		
los tacones altos	high heels	**amarillo/a** yellow	**naranja** orange
el traje (de baño)	(swim) suit	**dorado/a** gold	**púrpura** purple
el vestido	dress	**marrón** brown	**rosado/a** pink
los zapatos	shoes		

3.2a Reflexive verbs

A verb is reflexive when the subject performs the action of the verb and the action reflects back to the subject. That is, the subject does the action to himself or herself. For example, *Antonio se viste* means that Antonio is dressing himself. He is the subject of the sentence who is performing the action and he is also the object receiving the action of the verb.

Here are the conjugated forms of the verb *vestirse* (to get dressed), which is also a stem-changing verb:

<table>
<tr><td colspan="6" align="center">vestirse</td></tr>
<tr><td>yo</td><td>me visto</td><td>I dress (myself)</td><td>nosotros/as</td><td>nos vestimos</td><td>we dress (ourselves)</td></tr>
<tr><td>tú</td><td>te vistes</td><td>you dress (yourself)</td><td>vosotros/as</td><td>os vestís</td><td>you dress (yourself)</td></tr>
<tr><td>Ud.-
él-ella</td><td>se viste</td><td>you dress (yourself),
he/she dresses (himself/herself)</td><td>Uds.- ellos/as</td><td>se visten</td><td>you dress (yourself),
they dress (themselves)</td></tr>
</table>

The infinitive form of a reflexive verb ends in *se*. The reflexive verbs are conjugated the same way you would conjugate an –*ar*, –*er*, –*ir* or stem-changing verb. In addition, however, the corresponding reflexive pronoun must accompany the verb. The reflexive pronouns generally go before the conjugated verb, but they may also be attached to an infinitive or the present participle of the present progressive. When attaching a pronoun to the present participle you must also add an accent. The meaning of the sentence does not change based on the placement of the pronoun.

Placement of reflexive pronouns

1. Before conjugated verb	Felipe se ducha. *Felipe showers.*	Felipe se va a duchar. *Felipe is going to shower.*	Felipe se está duchando. *Felipe is showering.*
2. Attached to an infinitive or present participle		Felipe va a ducharse. *Felipe is going to shower.*	Felipe está duchándose. *Felipe is showering.*

Instead of using possessive adjectives for body parts and clothing, definite articles are used with reflexive verbs. Since the reflexive verbs already indicate that the subject does the action to himself or herself, it is understood whose face and whose shoes are being referred to. For example, to say 'I wash my face' you would say *Me lavo la cara*, NOT *Me lavo mi cara*. Likewise, 'I take off my shoes' is *Me quito los zapatos*, not *Me quito mis zapatos*.

Here are some common reflexive verbs:

acordarse (o:ue) *to remember*	irse *to go away*	ponerse *to put on*
acostarse (o:ue) *to go to bed*	lavarse *to wash*	probarse (o:ue) *to try on (clothes)*
despertarse (e:ie) *to wake up*	levantarse *to get up*	quitarse *to take off*
dormirse (o:ue) *to fall asleep*	llamarse *to be called*	sentarse (e:ie) *to sit down*
ducharse *to shower*	maquillarse *to put makeup on*	vestirse (e:i) *to get dressed*

A. Pronombres reflexivos Write the appropriate reflexive pronoun (*me, te, se, nos* or *se*) in the blank provided.

1. Ella _____ lava las manos antes de comer.

2. Nosotros _____ bañamos con agua caliente.

3. Yo no _____ acuerdo de su nombre.

4. ¿Tú _____ despiertas temprano cada día?

5. Los estudiantes _____ duermen en la biblioteca.

B. Completar Fill in the blanks below with the appropriate form of one of the verbs listed.

acostarse

divertirse

levantarse

llamarse

ponerse

relajarse

1. Ella _____ cuando va a una fiesta.

2. ¿Cómo _____ tú?

3. Tú _____ tarde los fines de semana.

4. Ellos _____ los zapatos para correr.

5. Cuando leo un libro, yo _____ .

6. Nosotros _____ a las ocho de la mañana.

C. Preguntas Answer the following questions in complete sentences.

1. ¿Te duchas por la mañana o por la noche?

2. ¿Cómo te diviertes los fines de semana?

3. ¿A qué hora te acuestas cuando sales con amigos?

4. ¿Cómo te relajas cuando estás solo *(alone)*?

5. ¿Cómo se llaman tus mejores amigos?

3.2b Reciprocal reflexives

As you learned in the previous lesson, reflexive verbs express an action the subject does to himself or herself. The reciprocal reflexives use the same pronouns, but they express a reciprocal action done to each other or one another. Since the action must be mutual, it requires at least two people. Therefore, only the plural forms of the reflexive pronouns (*nos*, *os* and *se*) are used. For example: *Miguel y yo nos abrazamos.* (Miguel and I hug each other.) *Los estudiantes se entienden.* (The students understand one another.)

Here are some common verbs used as reciprocal reflexives:

abrazar(se)	*to hug (each other)*	decir(se)	*to tell (each other)*	llamar(se)	*to call (each other)*
ayudar(se)	*to help (each other)*	encontrar(se)	*to meet (each other)*	mirar(se)	*to look at (each other)*
besar(se)	*to kiss (each other)*	entender(se)	*to understand (each other)*	querer(se)	*to love (each other)*
dar(se)	*to give (each other)*	escribir(se)	*to write (each other)*	ver(se)	*to see (each other)*

D. Una relación a larga distancia

Read about how Paula describes her long-distance relationship and underline the reciprocal reflexives used.

Mi novio y yo vamos a universidades diferentes, pero nos vemos cada fin de semana porque nos queremos mucho. Durante la semana nos llamamos por teléfono y nos mandamos mensajes de texto. Los viernes son cuando nos encontramos en la estación de autobuses y nos abrazamos.

E. Los novios   Now rewrite four of the reciprocal reflexives she uses in the *ellos* form.

1. _____   3. _____

2. _____   4. _____

F. Preguntas   Answer the following questions about yourself and your friends using complete sentences and reciprocal reflexives.

1. ¿Se ven con frecuencia durante la semana?

2. ¿Con qué frecuencia se hablan por teléfono?

3. ¿Cómo se saludan tú y tus amigos?

4. ¿En dónde se juntan antes de salir?

5. ¿Cuántos mensajes de texto se mandan tú y tus amigos?

Haciendo tarea   Areponamichic, México

3.3 Casa y piso

Cultura: Comparing architecture, Division of tasks at home
Vocabulario: Houses & apartments, Domestic chores
Gramática: Review verb conjugations

A. Cuartos

Indicate one room of a house where you might find the items listed.

una cama

un sofá

un escritorio

una computadora

El dormitorio
La sala
el estudio
la oficina

un sillón

un estante

una cómoda

un armario

la sala
la oficina
mi cuarto
la entrada

B. Muebles

Make a list of the furniture you might find in the following rooms of a house.

la cocina

la sala de estar

el comedor

el dormitorio

la oficina

los platos, la mesa, las sillas,
la alfombra, la televisión, el sillón, el sofá, la ventana, el cuadro
la mesa y las sillas, el cuadro, los platos
el escritorio, la computadora, la ventana,
la cama, la almohada, el cuadro, el armario
el escritorio, la computadora, el sillón, la
silla, las cortinas, el estante

la alfombra	rug
la almohada	pillow
las cortinas	curtains
el cuadro	painting

C. En la habitación

What activities do you do in the following rooms? Write at least 2 verbs for each one.

la cocina

la sala de estar

el comedor

el dormitorio

la oficina

la clase de español

D. ¿Dónde está?

GR 3.1a

Using the picture, take turns asking a partner where various items are located in the room.

la lámpara   los cuadros

la silla   la alfombra

la mesa   el plato

la televisión   el sofá

¿Dónde está el sillón?
El sillón está al lado del sofá.

Denia, ES

E. Mi cuarto

Sketch the layout of your room on a separate sheet of paper including at least five items of furniture.
Then, describe it orally to a partner using *estar* with prepositions of location to help your partner draw it.

estar a la derecha de   *estar encima de*
estar a la izquierda de   *estar debajo de*
estar enfrente de   *estar detrás de*

F. Asociaciones

Pick three things in your room that best reflect your personality and life experiences. Write the objects and their associations in the spaces below.

Objetos

Asociaciones

los pósters en mi cuarto / música, deporte, fiestas

Tarragona, ES

G. Intercambio

Share your objects and associations from the previous activity with a partner.

H. Inmueble

Indicate what is most important to you in finding your ideal home.

Precio:	Desde $		Hasta $
Tipo de vivienda:	☐ casa	☐ cabaña	☐ apartamento
Transacción:	☐ comprar	☐ alquilar	☐ compartir
Habitaciones:	☐ 1+	☐ 2+	☐ 3+
Baños:	☐ 1+	☐ 2+	☐ 3+
Garajes:	☐ 1+	☐ 2+	☐ 3+
Ubicación:	☐ el centro	☐ las afueras	☐ los suburbios
Extras:			
	☐ sótano	☐ jardín	☐ barrio privado
	☐ teatro	☐ terraza	☐ cocina grande
	☐ gimnasio	☐ piscina	☐ parque cerca

I. Mi casa ideal

What is your ideal house like? Describe it to a partner using the information from the previous activity to specify what is important to you and other unique features that appeal to you. Be as creative and crazy as you like!

Mi casa ideal tiene ocho habitaciones y diez baños. En el sótano hay un teatro con una pantalla gigante. Tiene un garaje enorme para mis diez carros que incluyen tres Ferraris. También hay una piscina grande y una cancha de tenis y básquetbol.

J. Mi casa

GR 1.2c

Complete the following questions by writing the correct word to elicit housing information. Then write your answers to the questions in a short paragraph form using the space below.

Información	Preguntas
Dirección	¿Dónde _____ ?
Vivienda	¿En _____ tipo de vivienda vives?
Descripción	¿Cómo _____ ?
Gustos	¿Te _____ vivir ahí?
Habitación favorita	¿ _____ es tu habitación favorita?
Compañero de piso	¿Con _____ vives?

K. Entrevistas

Using the questions above, interview two classmates. Take notes below and be ready to report. Remember to use the *él/ella* form of verbs when talking about your partner. Feel free to use the model.

Compañero/a #1

Compañero/a #2

David vive en Seattle en un apartamento. El apartamento no es muy grande, pero es muy agradable vivir ahí. Tiene dos habitaciones, una cocina pequeña, un comedor chiquitito, pero una sala muy grande. Le gusta vivir en el apartamento. Su habitación favorita es la sala, porque puede relajarse en el sofá y escuchar música y ver televisión. David sólo vive con su perro, Sammy, un perro muy tranquilo, inteligente y obediente.

Sierra Norte, Oaxaca, MX

L. Cuestionario

Below is a questionnaire used to match incoming university students with compatible roommates. Circle the number on the scale that best represents you for each statement.

Me encanta ir a fiestas.	1 2 3 4 5	Detesto ir a fiestas.
Me gusta hablar con todo el mundo.	1 2 3 4 5	Soy una persona privada.
Soy un/a buen/a atleta.	1 2 3 4 5	No puedo ni correr.
Soy muy espontáneo/a.	1 2 3 4 5	Soy más reflexivo/a.
Siempre estoy feliz.	1 2 3 4 5	Suelo estar deprimido/a.
Soy el/la payaso/a de la clase.	1 2 3 4 5	Soy una persona seria.
Miro televisión constantemente.	1 2 3 4 5	No me interesa para nada mirar televisión.
Voy a ver películas con frecuencia.	1 2 3 4 5	¿Qué es un cine?
Me encanta jugar videojuegos.	1 2 3 4 5	No me gustan los videojuegos.
Me gusta dar paseos.	1 2 3 4 5	Camino sólo cuando tengo que caminar.
Voy a conciertos con frecuencia.	1 2 3 4 5	Prefiero escuchar música en mi casa.
Cocino como loco.	1 2 3 4 5	Sólo cocino Corn Flakes.

M. Más descripciones

In groups of three or four, add three contrasting statements to the above questionnaire.

1 2 3 4 5

1 2 3 4 5

1 2 3 4 5

N. ¿Y tú?

Interview another student by asking the questions in the two activities above. Note the responses and be prepared to explain in class whether you are compatible or not.

Miguel y yo somos compatibles porque nos gusta jugar videojuegos y dar paseos. También somos personas serias y no nos gusta ir a fiestas.

GR 2.2a

GR 2.2b

Madrid, ES

O. ¿Dónde lo haces?   Indicate the areas of your house or apartment where you would do the following chores.

lavar los platos

cortar el césped

hacer la cama

pasar la aspiradora

poner la mesa

barrer el piso

Monterrey, MX

P. Quehaceres domésticos   Complete the following sentences with the appropriate forms of the verbs below.

GR 1.3b

GR 2.1a

arreglar	cocinar	cortar	guardar
hacer	lavar	pasar	poner
quitar	regar	sacar	sacudir

En mi familia, todos tenemos nuestras tareas domésticas. Yo _____ la aspiradora, _____ la basura y _____ el césped. Mi esposa _____ y _____ la ropa, _____ el polvo y _____ las flores. Los niños _____ sus camas y _____ sus cuartos. Para las comidas, mi esposa casi siempre _____ la comida. Marta _____ la mesa antes de comer. Daniel _____ la mesa al terminar. Nuestro perro también ayuda.

Q. Fin de semana   List three things you want to do this weekend and three things you have to do. Then, ask your partner: "*¿Qué quieres hacer? / ¿Qué tienes que hacer?*"

Quiero dormir, jugar fútbol y relajarme. Tengo que lavar mi ropa, pasar la aspiradora y estudiar.

GR 2.4a

| Quiero… | Tengo que… | Quiere… | Tiene que… |
| | | | |

R. ¡Lo detesto!   What is your favorite and least favorite chore to do? Write the chores below; then survey as many people as possible in your class. What is the favorite and least favorite chore among your classmates?

¿Cuál es tu quehacer favorito?
Me gusta pasar la aspiradora. / No me molesta poner la mesa.
¿Cuál quehacer te molesta?
Me molesta mucho sacar la basura. / ¡Detesto lavar los platos!

GR 1.3a

| Mi favorito | Mi menos favorito | El favorito de mis compañeros | El menos favorito de mis compañeros |
| | | | |

S. ¡Ayuda! ¡Vuelven mis viejos!   Carlos and Camila are in a panic: their parents are returning from vacation in three hours! They promised to take care of the house and yard while their parents were away, but you know how these things go…

Below is a list of the chores they have not done yet. Carlos and Camila have 50 pesos. A friend is willing to help, but this friend charges 10 pesos an hour and only does yard work. They also haven't eaten yet today, and there is no food left in the house. Working in groups of 3-4, assign tasks to each in the order you think the chores should be done. Remember to conjugate the verbs accordingly!

Los quehaceres:

1. pasar la aspiradora – 30 minutos

2. sacudir los muebles – 15 minutos

3. hacer las camas – 15 minutos

4. arreglar la casa – 30 minutos

5. sacar la basura – 15 minutos

6. lavar (y secar) los platos – 45 minutos

7. ir de compras al supermercado – una hora

   Costs 10 pesos if they just buy the basics (and go hungry). Costs 20 pesos if they also buy food for themselves.

8. poner (y quitar) la mesa – 15 minutos

9. comprar una lámpara – una hora

   Carlos and Camila accidentally broke a lamp yesterday! It is easy to replace – for 30 pesos. Or is it better to confess to breaking it?

10. regar las plantas – 45 minutos

    Lots of plants inside (15 minutes) and outside (30 minutes).

11. barrer el patio de la entrada – 30 minutos

12. barrer las hojas del jardín – 45 minutos

13. cortar el césped – 30 minutos

14. lavar el auto de papá – una hora

Carlos

Camila

Pesos spent

Chores left undone

Un(a) amigo/a

Isla Pacanda, MX

T. Las casas de EE.UU.   The following texts describe what people from other Spanish-speaking countries noticed about the houses in the United States and how they differ from the houses in their native countries.

Karina (Quito, EC): Yo siempre digo que las casas de Estados Unidos son hechas de cartón.[1] En Ecuador las casas son más sólidas, están hechas de ladrillos y bloque. Me gusta que aquí las casas tengan muchos jardines.[2] En general en Ecuador, no tienes tanto jardín en tu casa. Tampoco tenemos el sótano[3] porque no estamos preocupados por las armas nucleares.

Antonio (Maracaibo, VE): Las casas de Estados Unidos, al menos en Michigan, necesitan construirse en función del frío y la nieve. Por eso uno ve esos techos en forma de triángulo y la madera es el material fundamental, mientras que en Venezuela por ser un país tropical, la temperatura influye en la construcción y se hace todo de concreto, cemento y ladrillo.

Nicole (Santiago, CL): Las casas de Chile son muy diferentes. Son más familiares porque allá es otro ambiente, es más acogedor. Donde hace mucho frío, llegas a una casa y ves una estufa o un calentador,[4] porque en Chile no tienes calefacción de aire caliente. Allá tienes estufas, ahí secas la ropa, no hay secadoras. En una casa vive toda la familia. Entonces, cuando llegas, es muy acogedor porque ves a tu abuelita en el patio regando[5] las plantitas o ves a tu abuelito que está con sus maderas[6]

Madrid, ES

o a todos tus primitos que andan corriendo, jugando.

Isabel (San Pedro de Macorís, DO): Las casas aquí en los Estados Unidos son más grandes. Las casas en la República Dominicana están más abiertas, yo creo porque no hay frío y son un poquito más chiquitas,[7] no todas las casas, pero la mayoría.

---

[1] made of cardboard
[2] yards
[3] basement
[4] heater
[5] watering
[6] wood

---

[7] a little smaller

Given the contexts of the following words, can you guess their meaning?

1. ladrillo

2. techo

3. madera

4. estufa

5. secadora

6. acogedor

Circle the four instances of estar *in the texts above and write the English translations below.*

Write four adjectives that come to mind when you think of houses in the United States.

U. ¿Quién lo dijo? Match the following statements to Karina (K), Antonio (A), Nicole (N) or Isabel (I) and place the number of the statement where it is found in the previous texts.

K/A/N/I

1. *You might see grandma watering plants, grandpa carving something out of wood or your cousins running around.*

2. *In my country, houses don't have central heating.*

3. *Houses in my country are more open.*

4. *Here in the north, houses need to be built for the cold and the snow.*

5. *Houses in my country are more welcoming.*

K/A/N/I

6. *In my country, houses don't have as much yard space as they do here.*

7. *We don't have basements because we aren't worried about nuclear weapons.*

8. *In my country, everything is done in concrete and cement.*

9. *Houses in the U.S. are made of cardboard.*

10. *Houses in the U.S. are bigger.*

V. Casa y cultura Answer the questions below according to the texts on the previous page.

1. *What are four characteristics associated with houses in the United States?*

2. *What are four characteristics associated with housing in Spanish-speaking countries?*

3. *Write one comparison between houses in the United States and in Spanish-speaking countries.*

W. ¡A escribir! Look back over this chapter and write a creative essay for the following scenario. Include the information listed below.

Time travel ten years into the future. You are living in your dream house with your ideal roommate or partner. Describe your house in detail and the distribution of chores in your household.

- *number of rooms, items of furniture and some color schemes*

- *how your house reflects your personality*

- *preference, distribution and frequency of chores*

Minorca, ES

Vivo con mi esposo en una casa gris de dos pisos. La casa tiene tres habitaciones, tres baños, una sala grande y una oficina. También hay un teatro en el sótano y la propiedad es muy privada. Eso refleja nuestra personalidad porque nos gustan las películas y somos personas introvertidas.

No me gusta cocinar; por eso mi esposo cocina cada noche. También va de compras al supermercado, saca la basura y corta el césped. Yo lavo la ropa, paso la aspiradora, lavo los baños y barro el piso. Los dos lavamos los platos después de cenar y arreglamos la casa los fines de semana.

Vocabulary 3.3

la alfombra	carpet	los quehaceres domésticos	household chores
la almohada	pillow	la sala (de estar)	living room
el armario	closet	la silla	chair
el baño	bathroom	el sillón	armchair
la cama	bed	el sofá	sofa
la cocina	kitchen	el sótano	basement
el comedor	dining room	el suelo	floor
la cómoda	chest of drawers	el techo	roof; ceiling
las cortinas	curtains	la ventana	window
el cuadro	square; painting	arreglar la casa	to straighten up the house
el cuarto	room, bedroom	barrer el piso	to sweep the floor
el dormitorio	bedroom	cocinar la comida	to cook food
la entrada	entry	cortar el césped	to cut the grass
la escalera	staircase; stairs	guardar la ropa	to put away clothes
el escritorio	desk	hacer la cama	to make the bed
el estante	bookcase	lavar la ropa/los platos	to wash the clothes/dishes
el estudio	study, studio	limpiar	to clean
la habitación	room, bedroom	pasar la aspiradora	to vacuum
la lámpara	lamp	planchar la ropa	to iron the clothes
la mesa	table	poner la mesa	to set the table
la oficina	office	quitar la mesa	to clear the table
la pared	wall	regar (ie) las plantas/flores	to water the plants/flowers
el plato	plate	sacar la basura	to take out the trash
la puerta	door	sacudir el polvo	to dust

3.3 Review verb conjugations

Reference *Gramática* 1.3b and 2.1a for the main introductions to verb conjugations.

A. Completar

Write the appropriate subject pronoun (*yo, tú, él, nosotros* or *ellos*) before each conjugated verb. Then complete each statement about chores using the words provided.

1. Yo   hago   la cama   .
2. El   sacude   el polvo   .
3. Nosotros arreglamos la casa   .
4. Tú   cortas   el césped   .
5. Tú   cocinas   la comida   .
6. Ellos   planchan   la ropa   .
7. Ellos   barren   el piso   .
8. Yo   pongo   la mesa   .

a. la basura	g. el piso
b. la cama	h. los platos
c. la casa	i. el polvo
d. el césped	j. la ropa
e. la comida	k. la ventana
f. la mesa	

B. Conjugar

Fill in the missing forms of the conjugated verbs in the present tense.

	limpiar	barrer	sacudir
yo	limpio	barro	sacudo
tú	limpias	barres	sacudes
él, ella, Ud.	limpia	barre	sacude
nosotros/as	limpiamos	barremos	sacudimos
vosotros/as	limpiáis	barréis	sacudís
ellos, ellas, Uds.	limpian	barren	sacuden

C. Preguntas   Answer the following questions about yourself using complete sentences.

1. ¿A qué hora te levantas los fines de semana?

Yo me levanto a las ocho de la mañana.

2. ¿Cuál es tu habitación favorita? ¿Por qué?

Mi habitación favorita es mi cuarto

3. ¿Cuántas veces a la semana haces tu cama?

Yo hago mi cama todos los días.

4. ¿Cuáles son los quehaceres domésticos que te molestan?

Los quehaceres domésticos que me molestan son lavar los platos y sacar la basura.

5. ¿Qué tienes que hacer mañana?

Tengo que hacer mi tarea.

El mercado del viernes   Ocotlán de Morelos, Oaxaca, México

3.4 Afuera

A. Deportes Write the Spanish word or phrase for each picture.

jugar béisbol	correr	jugar tenis	levantar pesas	jugar baloncesto
jugar voleibol	nadar	patinar	jugar hockey	jugar fútbol (americano)
ir de pesca	esquiar	jugar golf	escalar montañas	andar en bicicleta

B. ¿Juegas...? Find out what sports your partner plays from the list above and with what frequency. Be ready to report to the class. Remember: *jugar* is a stem-changing verb.

GR 2.3c

¿Andas en bicicleta? ¿Corres? ¿Juegas baloncesto? ¿Con qué frecuencia?

siempre	always
con frecuencia	frequently
a veces	sometimes
nunca	never
dos veces por semana	two times a week
cuatro veces por mes	four times a month
una vez al año	once a year

Zihuatanejo, MX

C. Asociaciones   Write two sports you associate with each season.

el otoño

el invierno

la primavera

el verano

Sierra Norte, Oaxaca, MX

D. ¡Luces, cámara, acción!   Act out a sport for a partner and see how quickly they can guess it.

E. Mis deportes favoritos   Make a list of three sports you currently practice or have practiced in the past. Make another list of all the sports you like to watch. If you don't like sports, indicate the sports your friends or family enjoy practicing and watching. Then, compare your list to your partner's and jot down the sports you hear mentioned.

Practico …   Miro …   Practica …   Mira …

Now write a sentence comparing yourself to your partner in relation to sports.

F. Nosotros   Complete the questions below with the correct form of the verb *jugar*. Then, write answers to the questions. Be careful to use the correct form of *jugar* for *nosotros*.

GR 2.3c

¿Qué deportes _____ tú y tus amigos/as?

¿Qué deportes _____ ustedes en tu familia?

Now, interview two classmates and write their responses below. Be prepared to report.

Compañero/a #1:   Compañero/a #2:

G. El Clásico   Jessica and Gerardo discuss the rivalry between the two most popular soccer teams in Mexico. Read the texts and complete the activities that follow.

Jessica (Querétaro, MX): *¿Qué equipo de fútbol te gusta? ¿De fútbol?* Los Pumas primero, y después, Las Chivas. Odio[1] el América.

¿Cuál es la rivalidad entre esos dos equipos? Pues es como algo ya de años, como de antaño.[2] Realmente no sé la razón, pero los de América me caen muy gordos,[3] como que son elitistas, y nomás juegan por dinero, no porque de verdad les guste. Y por ejemplo, Las Chivas tienen puros jugadores mexicanos, que eso es lo que más me gusta.

Gerardo (Puebla, MX): *¿Qué piensas del equipo de Guadalajara?* Las Chivas. Yo nunca voy a ir a Guadalajara en mi vida, porque ahí está el equipo enemigo. Mi equipo favorito, el América, siempre ha sido conocido como el equipo que trae al extranjero, trae al gringo, trae al europeo, trae al chileno, trae a diferentes gentes que no son mexicanos pero que son muy buenos jugadores. Hay muchos mexicanos, también, pero no todos son mexicanos. El noventa y cinco

Mutriku, ES

por ciento del equipo de Las Chivas son de México, y ocho están en el equipo nacional de México, entonces Las Chivas es un equipo muy fuerte, aunque para mí es el equipo enemigo.

[1]   *odiar* – to hate
[2]   in the past
[3]   I can't stand them

Match the statements to Jessica (J) or Gerardo (G) and place the numbers where they are found in the texts.

J/G

1. *It's like something from years past. I don't really know the reason for the rivalry.*

2. *América has always been known for bringing in people that are not Mexican.*

3. *I hate América.*

4. *Las Chivas is a very strong team.*

5. *95% of the players on Las Chivas are Mexican.*

6. *What I like most is that the team has only Mexican players.*

7. *They're like elitists, they only play for money.*

8. *I will never go to that city in my life because the enemy team is there.*

H. El fútbol mexicano   Search the internet and write answers in Spanish for the questions below.

¿En qué ciudad juega el equipo de América?

¿Dónde está Guadalajara en relación a la Ciudad de México?

¿Qué equipo ganó el Super Clásico más reciente? ¿Cuál fue el resultado?

I. El deporte favorito

Which of the sports listed is your favorite and which is your least favorite?

la natación	*el baloncesto*	*el tenis*
el béisbol	*el fútbol (americano)*	*el correr*

GR 1.3a

Now, get up and survey as many people in your class as possible. What is the favorite sport among your classmates? The least favorite?

El deporte favorito es…

El deporte menos favorito es…

¿Cuál es tu deporte favorito?
Me encanta… / Me gusta mucho…

¿Cuál es tu deporte menos favorito?
No me interesa… / No me gusta mucho…

J. En grupos

Get in groups of three or four according to your favorite sport above. If you don't like sports, you may also form a group. Try working with someone new! Look at the questions below and exchange information among your group members. Fill in the blanks with the group's favorite sport. Then, write a sentence responding to each question that summarizes your group's discussion.

¿Cuál es tu equipo favorito de   ? ¿Quién es tu jugador(a) favorito/a?

¿Juegas   ? ¿Con qué frecuencia, con quién y dónde?

¿Prefieres jugar o mirar   ? ¿Prefieres mirar partidos universitarios o profesionales?

K. ¡Defensa!

Continue in your group and write a defense of your favorite sport. Why do you like it? What is it like? What is bad about the other sports?

Nos gusta el curling porque es necesario trabajar en equipo. Tienes que tener disciplina y poder guiar la bola con exactitud. No nos gustan los otros deportes porque no puedes tomar una cerveza cuando juegas.

Sierra Norte, Oaxaca, MX

L. Describe la foto

GR 1.1b

GR 1.4a

Look at the pictures below and jot down the following information for each: 1) the activity performed, 2) the weather/season and 3) descriptors of the place. If you're not sure from the picture, guess! Be prepared to describe each picture to a partner.

| ciudad | está despejado | hace fresco | montañas | parque | sentarse |
| descansar | está lloviendo | hace sol | navegar | pasear | tomar el sol |

1. *La chica corre por la playa. Hace buen tiempo en el verano. Ella está cerca del océano...*

2.

3.

4.

M. ¡Adivina!

In partners, take turns presenting a description of a photo and having your partner guess which photo it is.

Creo que es la primara (segunda/tercera/cuarta) foto.

N. ¿Qué prefieres hacer afuera?   Check off all the activities you prefer to do outdoors.

asistir a un partido ☐

comer ☐

correr ☐

hablar por teléfono ☐

hacer yoga ☐

ir de compras ☐

leer ☐

nadar ☐

pasear ☐

tomar una siesta ☐

San Sebastián, ES

What is the difference between pasear al perro *and* pasearse? *Give the English equivalents below.*

O. Al aire libre   Write three activities you associate with the following destinations. Then, answer the question that follows.

la playa

los bosques

las montañas

¿Adónde te gusta ir de vacaciones? ¿Por qué?

P. De vacaciones   Answer the following questions about your travel preferences. Then interview a partner and note the responses below. How much do you have in common?

Mis respuestas   Mi compañero/a

GR 2.4a   ¿Adónde prefieres ir?

¿Cuándo sueles viajar?

¿Con quién prefieres viajar?

¿Qué te gusta hacer?

¿Qué no te interesa hacer?

Q. Tiempo libre

GR 1.3a

Read the texts below regarding hobbies. Then, answer the questions.

Francisco (La Habana, CU): Me gusta ir de vacaciones. Me encanta ir al campo, a las montañas, me gusta el mar... Amo la naturaleza.[1] Me encanta ir a conocer museos. Me encantan los restaurantes, me gustan mucho las cafeterías, platicar en un lugar tranquilamente[2] y convivir con mi familia.

José (Granada, ES): No me gustan las discotecas, me gustan las terrazas[3] de verano. En España se vive mucho en la calle, quizá por el clima. Como hace tan buen tiempo, perfectamente te puedes ir por la calle a tomarte algo. Eso es lo que me gusta. Tomar algo en una terraza tranquilamente con la familia.

Laura (Madrid, ES): En Madrid voy mucho a un club de cine en el que vemos muchas películas antiguas de los hermanos Marx, por ejemplo, o de Francis Ford Coppola. Me gusta mucho ese sitio porque es muy barato y hay películas muy interesantes. Y también me gusta mucho ir a restaurantes con diferentes tipos de comida como japonesa, mexicana o india. En verano, me gusta mucho ir a los parques o a los jardines y pasear.

[1] nature
[2] peacefully
[3] terraces

Valencia, ES

Pancho (Tepic, MX): A mí me gusta mucho salir los sábados en la noche, salir a quinceañeras, salir con mis amigos a bailar. También me gusta estar con la familia, salir a jugar fútbol con ellos en las tardes cuando hace calor, y nomás me gusta salir con ellos y a divertirme con mi familia, con mis amigos.

Circle an example of: gusta, gustan, encanta, encantan.
Why do you think the verb form changes for each subject?

Read the following statements and match them to the corresponding person(s). Then place the number of the statement to where you find the information in the text.

	Francisco	José	Laura	Pancho
1. Le gusta hacer actividades afuera.	☐	☐	☐	☐
2. Le gustan los deportes.	☐	☐	☐	☐
3. Le gusta quedarse adentro.	☐	☐	☐	☐
4. Le gusta la comida.	☐	☐	☐	☐
5. Le gusta la música.	☐	☐	☐	☐
6. Le gusta estar con familiares.	☐	☐	☐	☐

With whom do you have the most in common? Why?

R. Adentro o afuera

List two activities you prefer doing inside and two you prefer doing outside. Then, share your answers with a partner.

Prefiero jugar fútbol afuera.
Prefiero estudiar adentro.

Yo prefiero …

Mi compañero/a prefiere …

Adentro

Adentro

Afuera

Afuera

Now, write a sentence comparing your preferences to your partner's preferences.

En general, ¿te gustan las actividades al aire libre o prefieres quedarte adentro?

S. Entrevista

Using the information from your written essays and in-class interactions, interview a classmate you have not worked with before. On a separate piece of paper, generate a list of questions, take notes and be prepared to report your findings to the class. Base your interview questions on the bullet points listed in the next activity.

T. ¡A escribir!

Write an essay about your current living situation and hobbies. Review the topics presented in this unit and the information you collected in various activities. Use the native speaker texts as well as the model texts throughout the unit to help you write the essay. Be sure to include the following information:

San Cristóbal, MX

- *a description of your current living situation and what you like/dislike about it*
- *your chore distribution, including frequency*
- *a simplified schedule of a typical school day*
- *a description of your favorite hangout place on campus*
- *recreational activities you participate in, including sports, outdoor or indoor activities, and the frequency with which you do them*

Vocabulary 3.4

el baloncesto	basketball	a veces	sometimes
el béisbol	baseball	con frecuencia	frequently
el bosque	woods	dos veces por semana	twice a week
el campo	countryside	nunca	never
los deportes	sports	siempre	always
el equipo	team	una vez al año	once a year
el fútbol	soccer	acampar	to camp
el fútbol americano	football	desayunar	to have breakfast
el golf	golf	entrenar	to train
el hielo	ice	escalar montañas	to climb mountains
el hockey	hockey	esquiar	to ski
el lago	lake	ir de excursión	to go for a hike
las montañas	mountains	ir de pesca	to go fishing
el océano	ocean	jugar (ue)	to play
la playa	beach	jugar (ue) a los bolos	to go bowling
el río	river	mochilear	to go backpacking
el tenis	tennis	navegar	to sail
el voleibol	volleyball	pasear al perro	to walk the dog
adentro	inside	patinar	to skate
afuera	outside	practicar	to practice
al aire libre	outdoors	tomar el sol	to sunbathe

3.4 Review *gustar*

Reference *Gramática* 1.3a for the original introduction to *gustar*.

A. ¿Qué te gusta hacer?   Mark (X) the activities you enjoy doing and the ones you don't enjoy.

	Sí, me gusta	No, no me gusta
1. ir de pesca en lagos	☐	☑
2. dormir al aire libre	☐	☐
3. practicar el golf	☐	☑
4. jugar voleibol en la playa	☑	☐
5. ir de excursión a la montaña	☐	☑
6. pasear al perro	☑	☐
7. jugar hockey sobre hielo	☑	☐
8. nadar en el océano	☑	☐

B. Identificar   Circle the correct form of *gustar*. Then indicate the subject of each sentence (S = singular noun, P = plural noun, V = infinitive verb).

1. _S_   Me (**gusta** / gustan) el fútbol.
2. _P_   ¿Te (gusta / **gustan**) las playas?
3. _S_   Me (**gusta** / gustan) el baloncesto.
4. _V_   Me (**gusta** / gustan) escalar montañas.
5. _P_   Me (gusta / **gustan**) los deportes.
6. _V_   ¿Te (**gusta** / gustan) jugar a los bolos?

C. Deportes   Indicate three different sports your friends and family like to practice or watch.

Modelo: A mi primo le gusta practicar el tenis. / A mi tío le gusta ver el béisbol.

1. A _____ le gusta _____ .

2. A _____ le gusta _____ .

3. A _____ le gusta _____ .

D. Preguntas   Now answer the following questions about one sport you like to practice or watch using complete sentences.

1. ¿Con quién te gusta practicar/ver el deporte?

2. ¿Cuándo te gusta practicar/ver el deporte?

3. ¿Dónde te gusta practicar/ver el deporte?

4. ¿Por qué te gusta practicar/ver el deporte?

5. ¿Qué te gusta tomar cuando practicas/ves el deporte?

De bicicleta en El Ángel   Ciudad de México, México

Unit 3: Modo de vivir   Cultural and Communication Goals

This sheet lists the communication goals and key cultural concepts presented in Unit 3 *Modo de vivir*. Make sure to look them over and check the knowledge and skills you have developed. The cultural information is found primarily on the website, though much is developed and practiced in the print *cuaderno* as well.

I can:

- [ ] talk about what I have
- [ ] talk about how important my belongings are or are not
- [ ] describe what I bring to class
- [ ] ask the teacher basic questions in class
- [ ] say what time it is
- [ ] say that I'm late
- [ ] use color terms
- [ ] talk about clothing a bit, including jeans
- [ ] conjugate a variety of verbs in the present tense
- [ ] conjugate reflexive and reciprocal verbs in the present tense
- [ ] describe types of rooms in homes
- [ ] describe my home in basic terms
- [ ] talk about chores I do (or don't do)
- [ ] describe things I miss
- [ ] talk about sports I like or don't like
- [ ] talk about outdoor activities
- [ ] talk about what you need or need to do
- [ ] talk about what you need to wear when

I can explain:

- [ ] a few differences in student life between North America and Spanish-speaking countries
- [ ] how important context is to understanding language
- [ ] student movements in 1968 and *los indignados* in 2011
- [ ] explain some differences in university systems
- [ ] what reciprocal and reflexive verbs are
- [ ] why *persianas* are important in Spain
- [ ] differences in roles and chores between North America and Spanish-speaking countries
- [ ] different attitudes towards 'domestic help'
- [ ] what key sports in the Spanish-speaking world are
- [ ] differences in houses between North America and Spanish-speaking countries

Unit 4 En la calle

Buen vino, buenos amigos; Denia, ES

Unit 4 – *En la calle* (On the street)

In Unit 4 you will learn how to talk about what you eat and drink, whether you are going out or staying home. You will learn about many regional beverages and dishes that are associated with Spanish-speaking countries and regions. You will learn how to express preferences about food, drink, night life and cultural activities. You will also learn to identify key differences in the rhythm of life between the US/Canada and the Spanish-speaking world.

Below are the cultural, proficiency and grammatical topics and goals:

Cultura	*Gramática*
Regional beverages	4.1a Near future (*ir a* + inf.)
Regional dishes	4.1b *Tú* vs. *usted*
Differences in meal times	4.2 *Soler* + infinitive
Eating etiquette	4.3a Other irregular verbs in the *yo* form
	4.3b Superlatives
Comunicación	4.4 Other verbs that mean 'to be'
Describing food or drinks	
Ordering in restaurants	
Describing places you go	
Describing films you like or dislike	

4.1 Las bebidas

Cultura: Beverages in Latin American and Spain
Vocabulario: *Bebidas*, Words for drinking
Gramática: Near future (*ir a* + inf.) & *tú* vs. *usted*

A. Las bebidas Do you drink the following beverages? How often do you drink them?

Yo casi nunca bebo champán. Sólo bebo champán en bodas.

Bebidas	Sí	No	¿Con qué frecuencia bebes la bebida?
agua	✓	☐	Todos los días
leche de chocolate	✓	☐	Una ves a la semana
limonada	✓	☐	Muchas
café	✓	☐	~~Raras~~ casi nunca
cerveza	✓	☐	Todos los fines de semana
refrescos	✓	☐	
té helado	✓	☐	Mucho
vino tinto	✓	☐	Cada noche

B. ¿Y tu familia y tus amigos? Write 2-3 sentences stating what your family and friends drink and how often they drink the beverages.

Mi papá toma café todas las mañanas.

Ciudad de México, MX

C. ¿Qué tomas cuando...? Answer the following questions. Then, interview two classmates.

¿Qué tomas cuando...	Yo	Compañero/a #1	Compañero/a #2
hace frío?	Chocolate caliente		
estás estudiando?	agua		
vas a una fiesta?	~~~~ tequila		
estás triste?	tequila		
miras televisión?			
haces deporte?			

D. Encuesta   Pick one of the questions from the last activity and survey your classmates. What is the most popular drink for the situation you chose? You have two minutes.

E. ¿Qué prefieres tomar?   Circle the beverage you would prefer to drink.

¿Agua mineral o agua con gas?

¿Batido de vainilla o raspado *(snow cone)*?

¿Café o té helado?

¿Chocolate caliente o café?

¿Coca-Cola o Coca-Cola Light?

¿Ginger ale o bebida isotónica?

¿Leche o leche de chocolate?

¿Licuado de frutas o batido de proteínas?

¿Jugo o limonada?

¿Vino tinto o cerveza?

La Palma, Guanajuato, MX

F. Bebidas favoritas   List two of your favorite drinks and two of your least favorite. Then, share your list with a partner and explain why you like or dislike the beverage. Then compare your preferences.

GR 1.3a

Me encanta tomar batidos de fresa porque son muy buenos y me gusta comer helado.

Me gusta tomar… porque…

No me gusta tomar… porque…

A mi compañero/a le gusta tomar… porque…

A mi compañero/a no le gusta tomar… porque…

A nosotros/as nos gusta tomar…

A nosotros/as no nos gusta tomar…

G. El café   Read the following texts about coffee drinking, and complete the activities that follow.

Ezequiel (Tampico, MX): Pues yo no tomo café, pero he visto[1] que mi papá toma café en la mañana y creo que porque ya es costumbre para él. Hay gente en el trabajo que toma café como para mantenerse despierta[2], pero yo creo que eso depende de la persona. Hay personas que lo toman para tranquilizarse y hay personas que lo toman nada más por tomarlo ya como costumbre.

Carolina (Zacatecas, MX): Tomo mi café en la mañana, una taza y que no sea instantáneo porque no me gusta. Es todo lo que tomo de café. Claro que si vamos de visita, por ejemplo, en las tardes y te ofrecen un café, me lo tomo. Aquí en Estados Unidos se bebe mucho el café. Cada hora se toman una taza. Nosotros, toda la familia, no somos así, no somos muy cafeteros.

[1]   I have seen
[2]   awake

> **Lo.** What do you think *lo* means in the first paragraph?

Córdoba, AR

Augusto (Buenos Aires, AR): Bueno, nosotros desayunamos mate[3] básicamente. Es lo que más se desayuna, mate o café. Te levantas a la mañana, armas tu mate, y siempre tienes algunas facturas[4], algún bizcochito de grasa para comer, y no mucho más. No somos de comer el desayuno terrible como los mexicanos. Te tomas unos mates, te comes unos bizcochitos y al trabajo.

[3]   herbal infusion
[4]   pastries

Match the following statements to Ezequiel (E), Carolina (C) or Augusto (A) and place the number where it is found in the texts. Then, decide if the statement is true or false for you.

E/C/A		Cierto	Falso
	1. I drink coffee in the morning and that's all I drink.	☐	☐
	2. We don't eat huge breakfasts.	☐	☐
	3. There are people at the office who drink coffee to stay awake.	☐	☐
	4. I don't drink coffee.	☐	☐
	5. I get up, drink some mate and eat some pastries.	☐	☐
	6. In the US, people drink a cup of coffee every hour.	☐	☐
	7. My dad drinks coffee every morning.	☐	☐
	8. There are people who drink coffee to calm themselves.	☐	☐
	9. We aren't big coffee drinkers.	☐	☐

¿Eres más similar a Ezequiel, Carolina o Augusto?

H. Conversación   Share your answers to these questions with a partner.

¿Con qué frecuencia tomas café?

¿Tomas otra bebida con cafeína?

¿Te afecta la cafeína? ¿Cómo?

¿Comes un desayuno grande o pequeño? ¿Qué comes?

I. La cerveza

Read what Jesús says about his favorite beers. Then, answer the questions that follow.

¿Tienes una cerveza en particular que te guste más? ¿Qué piensas de las cervezas mexicanas?

Tuve esa conversación con mi tía un día. Ella me preguntó, me dijo: "Tú sabes mucho de cerveza, cuál es la cerveza más buena?" Y lo que le dije fue:[1] "Bueno, la cerveza de Inglaterra es muy buena, la cerveza de Irlanda es muy buena, la cerveza de Estados Unidos es muy buena, pero la mejor cerveza, es la cerveza gratis."[2] La cerveza mexicana que me gusta se llama Bohemia. Tomo Modelo o Negra Modelo, cuando la puedo hallar[3]. Y la que tomo más para recordarme de México, bueno, no mi México, pero el México de mi papá, es Carta Blanca, la cerveza muy famosa de Chihuahua. Cuando me quiero recordar de mi papá o quiero estar con mi papá compro Carta Blanca.

---

[1] what I said to her was
[2] free
[3] *la puedo hallar* – can find it

Guanajuato, MX

1. ¿Quién le preguntó a Jesús sobre su cerveza favorita?

2. ¿Qué países menciona Jesús en su respuesta?

3. ¿Cuál es la cerveza favorita de Jesús?

4. ¿Qué cervezas mexicanas toma Jesús?

5. ¿Por qué compra Carta Blanca?

J. La edad legal

Write down the legal ages for the activities below in the United States or the country you are from. Then, indicate the age at which you think it should be permitted. List a reason to justify each answer.

	Ley actual	Mi opinión	Mis razones
tomar cerveza			
votar en elecciones			
conducir			
comprar cigarrillos			

K. Y tú, ¿qué piensas?

Exchange information from the previous activity with a partner. Take notes and be ready to state similarities and differences between you and your partner.

L. Frutas   Match the Spanish words for fruits to the pictures below. Then, answer the questions.

| arándanos | durazno | limón | naranja | piña | sandía |
| cerezas | fresas | manzana | pera | plátanos | uvas |

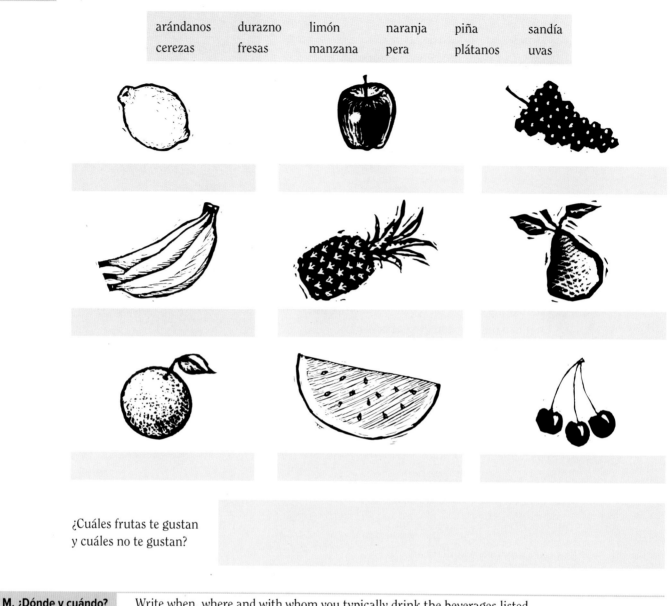

¿Cuáles frutas te gustan
y cuáles no te gustan?

M. ¿Dónde y cuándo?   Write when, where and with whom you typically drink the beverages listed.

	¿Dónde?	¿Cuándo?	¿Con quién?
agua			
café			
refrescos			

N. Intercambio   Using your answers from the previous two activities, exchange information with a partner.

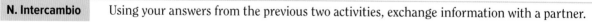

O. Kioscos   Read the text. Then respond to the prompts.

La comida en los kioscos en México es típicamente barata. Es posible comprar golosinas[1] como helados y raspadas.[2] En otros kioscos se puede tomar café y, en algunos, hasta es posible tomar un trago de tequila o cerveza. También se puede tomar bebidas sin alcohol como limonada o naranjada. En los meses de la primavera se puede tomar agua de frutas, raspadas, las cuales contienen hielo frapé con sabores frutales como tamarindo, vainilla o limón. Los kioscos normalmente están en medio de los jardines o plazas principales de las ciudades, son lugares con mucha gente, música y otros puestos de comida no tan saludable.[3] Es común para las familias visitar estas plazas los fines de semana.

---

[1]   candy, sweets
[2]   snow cones
[3]   healthy

Madrid, ES

Dos bebidas del texto que quieres probar:

Dos bebidas del texto que no te interesan:

P. Jugos de fruta   Read the descriptions of the three people below and create a drink with at least three ingredients that will meet their needs. Be prepared to justify your choices.

David necesita tomar una bebida con... porque...

1. Marcos no puede concentrarse muy bien. Es muy extrovertido y habla mucho. A veces molesta a sus amigos porque domina la conversación y es muy distraído.

2. Carlitos está completamente enamorado de Luisa, pero Luisa lo ignora completamente. Carlitos es calvo, flaco y un poco tímido.

3. Teresa está enferma y no se siente bien. No tiene mucha energía, pero tiene que estudiar para un examen mañana. Le gustan las bebidas dulces, pero está a dieta.

Q. ¿Y tú?   What do you drink in the following situations? Share your answers with a partner.

Para bajar de peso tomo té con limon.

para bajar de peso

para ser más inteligente

para ser más extrovertido/a

después de hacer ejercicio

para ayudarme a dormir

para tener más energía

R. Agua

GR 4.1a

Read the following text about water in Mexico and answer the questions that follow.

En algunas comunidades de México la gente no tiene suficiente agua. Existen lugares donde las personas tienen pozos[1] o cuentan con red de distribución[2] de agua potable, pero el agua no corre durante todo el día. Aunque el agua en México pasa por diferentes procesos de purificación antes de llegar a las tuberías,[3] la gente prefiere comprar agua embotellada para cocinar o tomar debido a[4] la gran cantidad de bacterias que el agua contiene. Otras maneras de tomar agua segura es hirviendo[5] el agua de la llave[6] o agregándole[7] germicidas para eliminar las bacterias que pudiera tener.[8] Hay que recordar que en las grandes ciudades en México, las tuberías pueden ser tan antiguas como las ciudades mismas.

[1] wells
[2] distribution network
[3] pipes
[4] because of
[5] *hervir* – to boil
[6] tap
[7] *agregar* – to add
[8] that it could have

Ciudad de México, MX

Verb + infinitive. Underline the examples of a 'verb + infinitive' construction.

1. ¿Cuáles son dos maneras de obtener agua en algunas comunidades de México?

2. ¿Por qué no toman el agua de la llave?

3. ¿Cuáles son tres alternativas para poder tomar agua?

S. En tu opinión

Read the following statements and select the one you agree with the most.

☐ Nunca tomo agua embotellada porque es malo para el medio ambiente.

☐ A veces tomo agua embotellada porque es conveniente.

☐ Con frecuencia tomo agua embotellada porque es un país libre.

☐ Siempre tomo agua embotellada porque el agua de la llave no es saludable.

T. Una situación intolerable

GR 4.1a

In groups of 3-4, choose from the following scenarios and situations and create a skit around beverages. Write this on a separate sheet of paper and include each of the turns listed. Be as creative as possible!

¿Qué vas a tomar? / Voy a pedir…

¿Qué nos recomienda usted? / Recomiendo…

¿Cuánto cuesta…? / Cuesta dos dólares.

¿Cómo está la bebida? / Está muy rica.

Nos trae la cuenta, por favor. / Inmediatamente.

Scenarios:

- at a family restaurant
- at a bar
- in the hospital cafeteria
- on an airplane

Situations:

- important announcement
- personal argument
- displeasure with beverage
- urgent phone call
- physical mishap
- annoying waiter/waitress

Turns:

- greeting
- discussing of drink choices
- ordering beverage
- paying for beverage

Cuenca, ES

U. Bebidas del mundo hispano

From the list of beverages below, choose one which you would enjoy drinking and one you would prefer not to drink. You may need to look online to find out more about them. Explain your choices.

aguas frescas	café cubano	champurrado
chicha morada	horchata	mate

V. ¡A escribir!

Write a role play according to the instructions listed above for *Una situación intolerable.* In your writing, include the following language elements:

- *Use of* gustar-*like verbs*
- *Use of the* ir + a + *infinitive construction*
- *Differentiating forms of address: using* usted *and* tú *appropriately*

Vocabulary 4.1

el agua	water	la madrugada	daybreak
el arándano	blueberry	la manzana	apple
el batido (de fresa)	(strawberry) milk shake	la naranja	orange
la bebida	drink	el melón	melon
el café	coffee	la piña	pineapple
el caño	tube	el plátano	banana
la cereza	cherry	el refresco	soft drink, soda
la cerveza	beer	el sabor	taste, flavor
el champán	champagne	la sandía	watermelon
el durazno	peach	el sentido	sense
la fresa	strawberry	el té (helado)	(iced) tea
la fruta	fruit	el vino blanco/tinto	white/red wine
la hierba	herb; grass	las uvas	grapes
el jugo (de naranja)	(orange) juice	amargo	bitter
la leche (de chocolate)	(chocolate) milk	dulce	sweet
la lima	lime	parecido	similar
el limón	lemon	rico	rich; delicious
la limonada	lemonade		

4.1a Near future (*ir a* + inf.)

The construction *ir* + *a* + infinitive is used to express an action that will take place in the near future. In English, this construction refers to an action you would say that you are "going to" do. Remember that the verb *ir* must be conjugated to agree with the subject.

Los estudiantes **van a estudiar** para el examen.	*The students are **going to study** for the exam.*
¿**Vas a ir** a la fiesta mañana?	*Are you **going to go** to the party tomorrow?*
Voy a descansar este fin de semana.	*I am **going to rest** this weekend.*

As a reminder, here is the present tense conjugation of *ir* (from *Gramática 3.1b*). Remember that it has irregular forms that you must memorize!

ir

yo	**voy**	nosotros	**vamos**
tú	**vas**	vosotros	**vais**
él-ella-Ud.	**va**	ellos/as-Uds.	**van**

A. Ir Complete the statements by conjugating the verb *ir* in the blanks to determine what Luis and his friends are going to do this week. Then mark (X) the activities you plan on doing this week.

1. ☒ Yo _voy_ a estudiar para una prueba.
2. ☐ Mi compañero _va_ a hacer la tarea.
3. ☒ Mis amigos _van_ a ir de compras.
4. ☐ Nosotros _vamos_ a cenar en un restaurante.
5. ☐ Mi profesor de español _va_ a trabajar.

B. Mañana What are you going to do tomorrow? Use the near future construction to note three different activities.

Modelo: Por la mañana, voy a tomar una prueba. Por la tarde, mi madre y yo vamos a almorzar. Por la noche, voy a bailar con mis amigos.

Por la mañana...

Por la tarde...

Por la noche...

C. Preguntas   Answer the following questions based on what you are going to do this weekend.

Modelo: Voy a dormir mucho este fin de semana.

La comida: ¿En dónde vas a comer? ¿Qué vas a comer?

El ocio: ¿Qué vas a hacer para divertirte? ¿Qué vas a hacer para relajarte?

Los estudios: ¿Qué vas a estudiar? ¿Dónde vas a estudiar y con quién?

La familia y los amigos: ¿A quién vas a ver? ¿A quién vas a llamar?

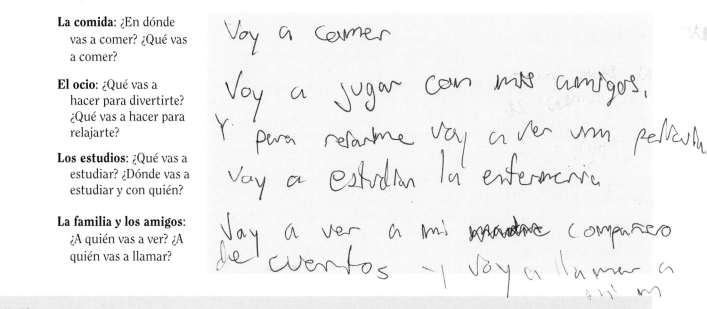

Voy a comer

Voy a jugar con mis amigos, y pera relajarme voy a ver un pelicula

Voy a estudiar la enfermeria

Voy a ver a mis ~~compañere~~ compañero de cuentos y voy a llamar a mi m

4.1b *Tú* vs. *usted*

Either *tú* or *usted* can be used when you are speaking to an individual. That is, they both address someone as 'you' in the second person singular. So what is the difference? *Tú* is used with people you would address on a first-name basis and is the familiar form of 'you.' *Usted* is used with people you address using a title such as Mr., Mrs., Dr., or Prof., so it is the formal version of 'you.'

The conjugation of *tú* is done in the second person singular, as you would expect. However, the conjugation of *usted* is done in the third person singular (he/she/it). This is done because *usted* comes from the expression 'Vuestra Merced,' which means 'Your Mercy' or 'Your Honor.' That is why *usted* and *ustedes* are abbreviated as *Ud./Uds.* or *Vd./Vds.* If you think of using it this way in English, it would also require the third person conjugation. For example: 'you write' uses second person, but 'your honor writes' uses third person. Being able to conjugate verbs consistently in the *usted* form requires a lot of practice, which is why it is a good idea to practice addressing your professor as *usted* instead of *tú*.

D. ¿Qué debes usar para hablar con...?   Mark the subject pronoun you would use to address the following individuals.

	Tú	Ud.
1. tu mejor amigo	✓	
2. tu profesor(a) de español		✓
3. el padre de tu amigo		✓
4. tu compañero de clase	✓	
5. tu abuelo/a	✓	✓
6. tu perro	✓	
7. tu dentista		✓

E. Nombres   Write the names of eight individuals in the appropriate column based on how you would address him or her.

Tú		Ud.
Jayce	Sumer	Professor Palmer
Roomate	Afoy	Grandmother
Kristen		My docter
		My advisor
		My

4.2 La comida

Cultura: National dishes & foods, Table manners
Vocabulario: Fruits & vegetables, Foods, Eating terms
Gramática: *Soler* + infinitive

A. Ensaladas Make color salads below by sorting vegetables into the columns according to their color. Then add at least one fruit to each salad. Which salad would you prefer to eat?

ajo   maíz   cebolla   papa   champiñones   pepino   frijoles   tomate   lechuga   zanahoria

Ensalada blanca

Ensalada roja/amarilla/anaranjada

Ensalada verde

B. Descripciones Write a description of one fruit and one vegetable. Then share the clues with a partner to guess what they are.

Es una fruta. Es roja. También puede ser verde. Hay jugo y pasteles de esta fruta. [Una manzana]

Fruta

Verdura

C. Ingredientes List as many ingredients in a popular dish as you can. See if a partner can guess what it is!

Tiene pan, carne, tomate, lechuga, cebolla y catsup. [Una hamburguesa]

D. Plato original Mix and match meats, vegetables and fruits to make an original and creative dish all your own.

Mi ensalada original tiene cebolla y tomates con ajo, champiñones y pollo.

la carne	meat
el pollo	chicken
el pescado	fish
el jamón	ham

La Quemada, Guanajuato, MX

E. ¿Dónde y con quién?

GR 4.2

Guess where and with whom the following people eat each of these meals. Use the verb *soler* in your answer.

tú, desayunar: Sueles desayunar en la cafetería solo.

1. mi familia, desayunar:

2. mis profesores, almorzar:

3. yo, merendar:

4. mis amigos y yo, cenar:

F. ¿Qué vas a comer?

GR 4.1a

Write what you are going to eat for two meals tomorrow. Use the *ir + a +* infinitive construction.

Mi cena / Voy a comer lasaña con una ensalada y pan.

Mi desayuno

Mi almuerzo

G. Hábitos de comer

What type of an eater are you? Check all the ones that apply to you and your eating habits.

☐ ceno en restaurantes   ☐ como mucha proteína   ☐ compro comida orgánica

☐ como comida saludable   ☐ suelo picar todo el día   ☐ como una merienda nocturna

☐ como comida sin grasa   ☐ compro comida rápida   ☐ soy aficionado/a a los dulces

☐ suelo estar a dieta   ☐ soy vegetariano/a   ☐ tengo una pasión por la comida

H. Tipo de comedor

In small groups, share your eating habits from the previous activity.

Tengo una pasión por la comida. No me gusta estar a dieta. Suelo comer comida saludable durante la semana. Me encanta comer en restaurantes nuevos los fines de semana.

Trujillo, ES

I. Mi familia

What are the eating habits of your family? Compare your answers to the following questions with a partner.

¿Suelen cenar juntos en tu familia?

¿Suelen mirar televisión durante la comida?   ¿Quién cocina en tu casa?

¿Con qué frecuencia salen a comer?   ¿Cuál es la comida favorita en tu casa?

J. Entrevista

Interview a partner about eating habits and preferences. Note your partner's answers below and be prepared to report them to the class.

1. ¿Qué te gusta comer?

¿Te gusta la comida…   ¿Te gusta…   ¿Te gusta comer…

☐ japonesa?   ☐ comida rápida?   ☐ en el comedor?
☐ china?   ☐ pizza?   ☐ en cama?
☐ hindú?   ☐ pasta?   ☐ viendo televisión?
☐ mexicana?   ☐ comida vegetariana?   ☐ solo/a?
☐ italiana?   ☐   ?   ☐ con tus padres?
☐   ?   ☐ a medianoche?
          ☐   ?

2. ¿Eres vegetariano/a?

☐ No, no soy vegetariano/a.
☐ Sí, soy vegetariano/a.
☐ No como carne.
☐ No como pescado.
☐ No como productos lácteos.

3. ¿Qué prefieres comer?

¿Carne   o   verduras?
¿Sopa   o   ensalada?
¿Arroz   o   papas?
¿Cebolla   o   ajo?
¿Tomates   o   champiñones?

4. ¿Dónde prefieres comer?

☐ Prefiero comer en un restaurante.
☐ A veces como en la cafetería.
☐ Con frecuencia voy a un café.
☐ Siempre como en casa con mis padres.
☐ Me gusta comer en mi casa.

5. ¿Cuál es tu restaurante favorito?

6. ¿Por qué te gusta ese restaurante?

☐ Los platos principales son deliciosos.
☐ El restaurante está cerca.
☐ Los entremeses son buenos.
☐ Las bebidas son baratas.

Guanajuato, MX

K. Resumen

Take the information above and write a summary of your partner's preferences. Remember: you will need to conjugate verbs to agree with *él* or *ella*.

L. En el refrigerador   Read the following texts about what people have in their refrigerators at home. Then complete the activities that follow.

Miluska (Lima, PE): Tengo muchos jugos. Tengo jugo de mango y de guava. Me gustan mucho las frutas. No tomo muchas gaseosas.[1] También tengo ensaladas y frutas. Tengo tofu; no me gusta mucho la carne. Nosotros los peruanos comemos mucho pollo, mucho pescado. También tengo muchas especias[2] de Perú – ají, por ejemplo, rocoto – que se come mucho con nuestras comidas típicas. También me gusta mucho preparar la comida Tailandesa, así que tengo *Thai peanut* en mi refri y algunos postres... Me gusta mucho el helado y nada más.

María (Melilla, ES): En la nevera de mi casa, yo pienso que tenemos una dieta bastante equilibrada. Hay una dieta mediterránea que nosotros seguimos bastante. Nos gustan las legumbres y nos gustan mucho los lácteos.[3] Nos gustan mucho las verduras y las frutas españolas. Aquí tenemos muy buena calidad en ese sentido, y las podemos tener muy frescas y muy naturales. Entonces nosotros en mi casa abusamos de esas cosas. Mi marido es de la parte norte y ahí hay unos embutidos[4] muy ricos, esos embutidos siempre tenemos. Cecina,[5] jamón serrano, chorizo, lomo embuchado,[6] todo ese tipo de cosas, aunque no abusamos de ellas pero sí que las comemos. Pescado, muchísimo pescado, vivimos en un puerto de mar y siempre hay algo de pescado en casa aunque no se mete en la nevera porque normalmente, como podemos comprarlo cada día, pues es algo que se compra en el momento o el día anterior como máximo.

---

1   carbonated beverages
2   spices
3   dairy products
4   cold cuts
5   cured meat
6   cured pork loin

Who would eat the following foods: Miluska (MI), María (MA) or both (B)?

	MI/MA/B		MI/MA/B
1. tomates con pepino		5. pizza de pepperoni	
2. lasaña vegetariana		6. queso *(cheese)*	
3. manzanas		7. comida picante *(spicy)*	
4. jugo de frutas		8. atún *(tuna)*	

Based on the texts, how would you say:

I never eat fruit.

We like meat a lot.

We overuse spices.

We always have milk.

M. En mi refri   What are five food items you typically stock in your refrigerator at school or at home?

Barcelona, ES

N. Estereotipos   What do professional players of football, video games and chess typically eat for breakfast and dinner? List a beverage, fruit, vegetable and meat for each player and meal. Be as creative as you like!

	Fútbol americano	Videojuegos	Ajedrez
desayuno			
cena			

O. Comida chatarra   Write your favorite type or brand of junk food for the following categories.

bolsa de papas fritas

comida frita

dulce

helado

postre

refresco

P. Comparaciones   Compare your answers from the previous two activities with a partner. What do you have in common? What is different?

Q. Comida   In partners, guess which two words have the same meaning.

1. ___ jugo
2. ___ camarones
3. ___ elote
4. ___ refresco
5. ___ tomate
6. ___ plátano
7. ___ frijol
8. ___ piña
9. ___ melocotón
10. ___ papa
11. ___ papaya

a. patata
b. banana
c. choclo
d. ananá
e. zumo
f. durazno
g. gambas
h. lechosa
i. gaseosa
j. jitomate
k. judía

Combarro, ES

R. Combinaciones   Choose a vegetable, fruit and beverage that make the best combinations with the following meats.

	bistec	pollo	jamón	pescado
verdura				
fruta				
bebida				

S. ¿Y tus combinaciones?   Now compare your combinations with a partner and list your partner's choices below.

	bistec	pollo	jamón	pescado
verdura				
fruta				
bebida				

T. ¿Eres vegetariano/a?   Make a list of three reasons to be a vegetarian and three reasons not to be one. Then, state your personal position.

Razones a favor   Razones en contra

Language you might use:

barato	cheap	*grasoso*	greasy
caro	expensive	*sabroso*	tasty
fácil	easy	*saludable*	healthy

derechos del animal   *dieta equilibrada*
razones religiosas   *dieta vegana*
tradiciones y cultura   *comida orgánica*

Yo (no) soy vegetariano/a porque…

Mi posición personal

U. ¿Cocinas?   Discuss the following questions in pairs.

¿Te gusta cocinar? Nombra dos platos
   que puedes preparar.

¿Cuándo los preparas?

¿Para quiénes cocinas?

¿Eres un(a) buen(a) cocinero/a?

¿Eres vegetariano/a? ¿Por qué?

Cobá, MX

V. ¿Qué sueles desayunar?

Read the texts below and complete the activity.

María (Melilla, ES): La leche es la base del desayuno y aparte de la leche, pues normalmente puede haber algún bizcocho,[1] o pan tostado con aceite de oliva[2] o a veces con mantequilla[3] o mermelada. Ése es el desayuno típico español y es lo que tomamos. Cereales también… cereales, nos han contagiado los americanos, pero es sano y nos gusta.

Rosa (Tarragona, ES): Es muy variado. A veces desayuno pan con tomate, que es muy típico de Cataluña, con algún tipo de embutido o queso. Otras veces unas galletas y un café, y otras veces cereales con leche.

Madrid, ES

Pancho (Tepic, MX): Desayuno cereal y una fruta. Un desayuno típico mexicano sería unos huevos estrellados[4] con una salsa. También sería común hacer chilaquiles los fines de semana. Eso es algo tradicional mexicano.

[1] sponge cake
[2] olive oil
[3] butter

[4] fried eggs

Match the following statements to María (M), Rosa (R) or Pancho (P) and place the number of the statement where it is found in the texts. Then, decide if the statement is true or false for you.

	M/R/P		Cierto	Falso
1. *There can be toast with olive oil for breakfast.*			☐	☐
2. *Sometimes I eat bread with tomato for breakfast.*			☐	☐
3. *I have cereal and fruit for breakfast.*			☐	☐
4. *Other times I eat cookies and a coffee for breakfast.*			☐	☐
5. *A typical breakfast would be fried eggs with salsa.*			☐	☐
6. *Milk is the base of breakfast.*			☐	☐

W. Comida extranjera

María states that "the Americans have infected us" because cereal with milk is a common breakfast. Have foreign foods become common in our culture? Do you like any? Write a few sentences.

X. ¿Y tú?

Answer the following questions.

1. ¿Qué sueles desayunar tú?

2. ¿Es típico tu desayuno para las personas de tu comunidad? Explica.

3. ¿Cuál es un desayuno especial para los fines de semana en tu familia, comunidad o cultura?

Y. Platos favoritos

Go online and research one of the dishes listed. Bring a printout of the recipe (in Spanish!) to class and answer the questions below. Then, choose one of your personal favorite dishes and do the same. Lastly, answer the questions that follow.

| chilaquiles | mole | pozole |
| chiles en nogada | nopales | tamales |

	El plato mexicano	Mi plato favorito
1. ¿Cuál es el origen del plato?		
2. En general, ¿se come en el desayuno, el almuerzo o la cena?		
3. ¿Cuáles son cinco ingredientes necesarios o típicos de la receta?		
4. ¿Es fácil preparar la comida? ¿Por qué?		

¿Piensas que a un mexicano le gustaría probar tu plato favorito? ¿Por qué?

¿Piensas que a un estadounidense le gustaría probar el plato mexicano? ¿Por qué?

Sí/No, porque el plato es… Sí/No, porque el plato tiene… Sí/No, porque no le gusta(n)…

Z. ¡A escribir!

Write a paragraph about your eating habits and preferences. Include what you typically eat and drink for each meal, the time you eat, with whom you eat and where you eat. Use the information you provided in the previous activities to organize your thoughts. Include the following language elements:

- *At least five different verbs*

- *The verb* soler

- *The verb* probar

Oaxaca, MX

Vocabulary 4.2

el ajo	garlic	**el pan**	bread
el almuerzo	lunch	**la papa**	potato
el arroz	rice	**el pavo**	turkey
el bistec	steak	**el pepino**	cucumber
los camarones	shrimp	**el pescado**	fish
la carne	meat	**el pollo**	chicken
la cebolla	onion	**el queso**	cheese
la cena	dinner	**la sopa**	soup
los champiñones	mushrooms	**el tomate**	tomato
el desayuno	breakfast	**la verdura**	vegetable
la ensalada	salad	**la zanahoria**	carrot
los frijoles (verdes)	(green) beans	**almorzar** (ue)	to have lunch
los huevos	eggs	**cenar**	to have dinner
el jamón	ham	**cocinar**	to cook
la langosta	lobster	**desayunar**	to have breakfast
la lechuga	lettuce	**llegar**	to arrive
el maíz	corn	**merendar** (ie)	to snack
los mariscos	seafood, shellfish	**quedar**	to stay
la merienda	snack	**ser vegetariano/a**	to be vegetarian

4.2 *Soler* + infinitive

The verb *soler* can be used with an infinitive verb and means 'to usually do something' or 'to be in the habit of doing something.' This structure is commonly used among native Spanish speakers. Remember that the verb *soler* must be conjugated to agree with the subject or the person who usually does something and the verb that follows is left in the infinitive form.

Suelo cenar con mis padres los domingos.	*I usually eat with my parents on Sundays.*
Solemos hacer la tarea antes de clase.	*We usually do homework before class.*
Mi familia **suele viajar** a Florida en abril.	*My family usually travels to Florida in April.*

A. Identificar   Read the following paragraph about what Adrián and his friends usually do on the weekends. Circle the conjugations of the verb *soler* and underline the infinitive verbs used after *soler*.

Los fines de semana suelo estar muy ocupado. Los viernes suelo trabajar hasta las cuatro de la tarde. Luego suelo cenar en un restaurante con mi novia. Los sábados por la tarde mis amigos y yo solemos ver el partido de fútbol en un bar. Mi novia suele ir de compras con su mejor amiga. Después mis amigos suelen ir al centro, pero yo suelo descansar. Por la noche, mis amigos y yo solemos bailar en una discoteca. Los domingos suelo hacer la tarea. Luego suelo almorzar con mi familia. Mi familia suele caminar por el parque después de comer.

B. Categorías   List five of the activities Adrián usually does in the appropriate column below based on the activities you usually do and the ones you don't usually do.

Suelo...   **No suelo...**

C. Escoger   Answer each question by circling the italicized word or phrase that describes you better in each sentence.

1. ¿Sueles tomar *café* o *jugo* por la mañana?
2. ¿Sueles levantarte *temprano* o *tarde*?
3. ¿Sueles pedir un *entremés* o *postre* en un restaurante?
4. ¿Sueles *ir al cine* o *ver películas en casa*?
5. ¿Sueles cenar *solo/a* o *con amigos*?
6. ¿Sueles *llamar a tus amigos* o *mandar mensajes de texto*?

D. Preguntas   Answer the following questions based on what you usually do on the weekends.

Modelo: Suelo dormir mucho los fines de semana.

La comida: ¿Dónde sueles comer? ¿Qué sueles comer?

El ocio: ¿Qué sueles hacer para divertirte? ¿Qué sueles hacer para relajarte?

Los estudios: ¿Qué sueles estudiar? ¿Dónde sueles estudiar y con quién?

La familia y los amigos: ¿A quién sueles ver? ¿A quién sueles llamar?

Paella en Playa Larga   Tarragona, España

4.3 Comiendo fuera de casa

Cultura: Attitudes towards time
Vocabulario: Restaurant and eating out
Gramática: *Yo* irregular verbs & superlatives

A. ¿Cuándo prefieres ir? Indicate what time of day you prefer going to the following places.

	por la mañana	por la tarde	por la noche
1. un bar	☐	☐	☐
2. un café	☐	☐	☐
3. el centro	☐	☐	☐
4. el cine	☐	☐	☐
5. el gimnasio	☐	☐	☐
6. un restaurante	☐	☐	☐

Ciudad de México, MX

B. ¿Qué vas a hacer?

GR 4.1a

Answer the following questions in relation to the upcoming weekend. Use complete sentences.

Voy a dormir mucho este fin de semana.

Los estudios. ¿Qué vas a estudiar? ¿Dónde vas a estudiar y con quién?

Yo estudio la enfermeria. Yo voy a estudia en la Iniversidad

La comida. ¿Adónde vas a comer? ¿Qué vas a comer?

Voy a comer Mondus. Voy a comer un Sandwich

El ocio. ¿Qué vas a hacer para divertirte? ¿Qué vas a hacer para relajarte?

Voy a ver Netflix

La familia y los amigos. ¿A quién vas a ver? ¿A quién vas a llamar?

C. Saber y conocer

GR 4.3a

Complete each question using the *tú* form of either *saber* or *conocer*. Remember: both verbs mean 'to know' in Spanish. Then, ask a partner to respond to the questions.

¿_____ a alguien famoso?   ¿_____ bien el campus de tu universidad?

¿_____ hablar otro idioma?   ¿_____ dónde está el mejor restaurante de la ciudad?

174

D. Tu fin de semana Using questions from activity B, ask your partner what they will do this weekend. Take notes in the spaces below and be ready to report. Remember to use the *él/ella* form when reporting.

GR 4.1a

La comida

Sumar = Plaza

El ocio

Sleep

Los estudios

Biologito,

La familia y los amigos

Tu novo tus amigas

Now, write one sentence comparing your planned weekend to your partner's.

E. Asociaciones Write a word you associate with the other two provided. Be prepared to explain your choice to a partner.

1. tenedor, cuchara, …

2. agua, vino tinto, …

3. ensalada, pan, …

4. plato, servilleta, …

5. restaurante, discoteca, …

F. Comparar Now get in groups of 3-4 to compare your choices from the previous activity and explain your reasoning. Are your choices similar to theirs?

G. Las fotos In groups, look through the photos of food in the previous *Tema* (4.2) and decide if you would order those foods at a restaurant.

Denia, ES

H. En un restaurante   Read the following texts about how frequently these people from Spain eat out in restaurants and complete the activities below.

Luis Vicens (Denia, ES): Pues la verdad es que intento comer en casa porque me gusta llevar una dieta equilibrada, y al comer en los restaurantes, te sales de la dieta. Entonces, cuando haces deporte, y sobre todo, yo ahora que estoy preparando la maratón, pues necesito tener una alimentación[1] más o menos adecuada y acorde al objetivo que quiero. Entonces no puedo estar excedido de peso,[2] y por eso pues intento comer lo máximo que puedo en casa, y comer cosas a la plancha,[3] natural. Pero bueno, supongo que dos o tres veces al mes salimos todos a comer, sobre todo a los niños les encanta McDonald's. Es algo muy americano y siempre nos piden ir a McDonald's.

Rosa María (Tarragona, ES): Pues, salgo bastante a menudo, porque me gusta encontrarme con amigos y charlar con ellos. Una vez a la semana o cada dos semanas me encuentro con gente, y si salimos, pues el fin de semana también.

Yolanda (Mora de Ebro, ES): Ahora como fuera menos. Antes estaba viviendo en Barcelona y comía tres o cuatro días por semana. Ahora es un día o dos por semana, depende.

Luis Felipe (Teruel, ES): Casi nunca vamos, porque

Buenos Aires, AR

tenemos cinco hijos, y el ir a un restaurante implica con los pequeños tener que estar con mucha atención. Además, las raciones[4] de los restaurantes suelen ser grandes y nunca se las acaban, con lo cual piensas que estás tirando el dinero.

---

[1] diet
[2] overweight
[3] grilled

[4] portions

Match the following statements to Luis Vicens (LV), Rosa María (RM), Yolanda (Y) or Luis Felipe (LF) and place the number of the statement where it is found in the texts.

1. *The kids never finish their meals, and you feel like you're wasting your money.*

2. *I try to eat at home because I like to keep a balanced diet.*

3. *The portions in restaurants tend to be large.*

4. *It's really American and the kids always ask us to eat there.*

5. *I go out quite frequently because I like to meet up with friends.*

6. *Going to restaurants means that we have to be very attentive to our kids.*

7. *I used to eat out three or four times a week.*

8. *I can't be overweight.*

Write a sentence in Spanish describing how often each of the people below eat out in a restaurant. If you don't know, make it up!

Mi familia y yo

Mis amigos

El presidente de los
    EE.UU.

I. Hábitos del reloj Fill in the times you go to and leave the places below.

	¿A qué hora sales a…	¿Hasta qué hora te quedas en…
un restaurante?		
un bar?		
una discoteca?		
una fiesta?		
un café?		
la casa de un amigo?		

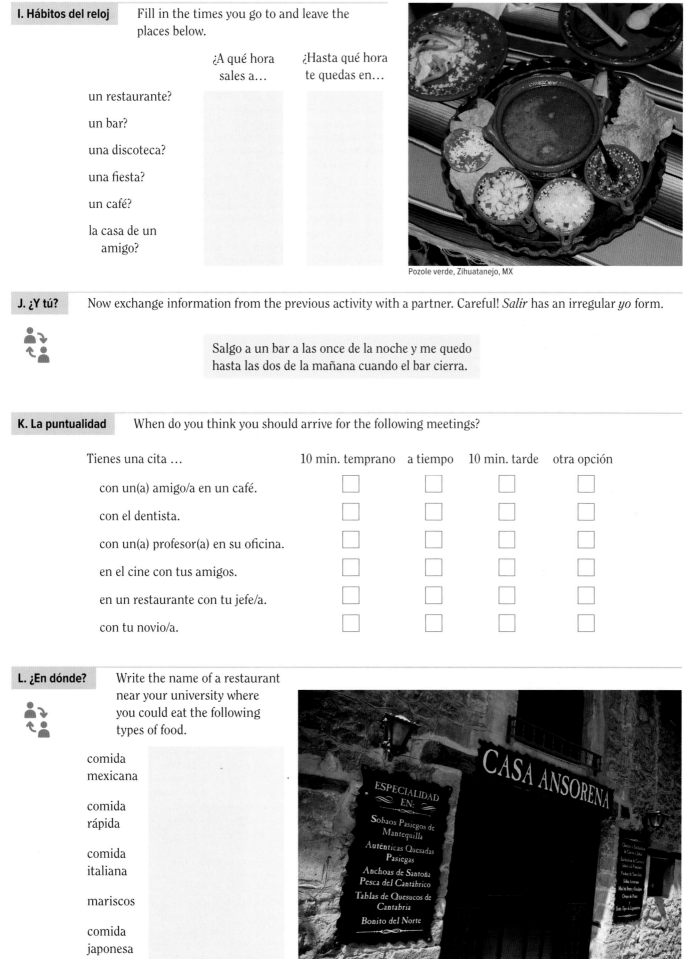

Pozole verde, Zihuatanejo, MX

J. ¿Y tú? Now exchange information from the previous activity with a partner. Careful! *Salir* has an irregular *yo* form.

> Salgo a un bar a las once de la noche y me quedo hasta las dos de la mañana cuando el bar cierra.

K. La puntualidad When do you think you should arrive for the following meetings?

Tienes una cita …	10 min. temprano	a tiempo	10 min. tarde	otra opción
con un(a) amigo/a en un café.	☐	☐	☐	☐
con el dentista.	☐	☐	☐	☐
con un(a) profesor(a) en su oficina.	☐	☐	☐	☐
en el cine con tus amigos.	☐	☐	☐	☐
en un restaurante con tu jefe/a.	☐	☐	☐	☐
con tu novio/a.	☐	☐	☐	☐

L. ¿En dónde? Write the name of a restaurant near your university where you could eat the following types of food.

comida mexicana

comida rápida

comida italiana

mariscos

comida japonesa

Santillana del Mar, ES

M. Preguntas   Answer the following questions using complete sentences.

1. ¿A qué hora prefieres cenar?

2. ¿Con qué frecuencia te pones a dieta?

3. ¿Eres alérgico/a a algo? ¿A qué?

4. ¿Cuál es tu postre favorito?

5. ¿Te gusta comer dulces? ¿Cuáles?

Dolores Hidalgo, MX

N. Superlativos   Complete the following statements by giving your opinion. Then, write two original ones.

GR 4.3b

1. El restaurante más caro de la ciudad es _____.

2. La bebida más refrescante de todas es _____.

3. El bar más divertido de la ciudad es _____.

4. La persona más habladora de la clase es _____.

5. El edificio más notable de la universidad es _____.

O. Tienes toda la razón   Working in small groups, share your answers from above. Try to reach an agreement on each item.

¡Estás loco!	You're crazy!
No estoy de acuerdo contigo.	I don't agree with you.
No, eso no es verdad.	No, that's not true.
Tienes toda la razón.	You're absolutely right.
Estoy completamente de acuerdo contigo.	I completely agree with you.

P. Repaso con letras   With a partner, pick a letter and ask him or her to identify as many vocabulary words associated with *bebidas* or *comida* that begin with the letter you chose.

F – fruta, frijol, fresa, …

Madrid, ES

Q. ¡Tacos!   Use the words below to fill in the taco menu.

| puerco y res | chorizo | lengua |
| pollo adobado | barbacoa | tripas |

Selección regular de carnes para tacos:

Bistec, o a la ranchera *(diced steak)*

_____ *(BBQ chicken)*

Frijoles con arroz

Aguacate con frijoles

Combinación – _____ *(pork and steak)*

_____ *(sausage)*

Picadillo *(ground beef)*

Especialidades de carnes para tacos:

Al pastor *(roasted pork)*

Milanesa *(breaded meat)*

_____ *(tongue)*

_____ *(tripe)*

_____ *(barbecue)*

Ciudad de México, MX

R. Tu pedido   Using the menu above, write a taco order in the form.

Tipo de taco	Por favor seleccionar los ingredientes que QUIERE en su taco.						
	Frijoles	Lechuga	Jitomate	Cebolla	Queso	Salsa	Crema
	☐	☐	☐	☐	☐	☐	☐

Acompañado		Extras					
Arroz	Frijoles	Crema	Aguacate	Jalapeño	Arroz	Carne extra	Queso
☐	☐	☐	☐	☐	☐	☐	☐

Make up your own taco creation! Be as traditional or as crazy as you wish. List the ingredients here.

S. ¿Qué prefieres?   Write your preferences for favorite and least favorite food items in each category.

	Favorito/a	Menos favorito/a
carne		
verdura		
bebida		
postre		

T. Comedieta

In groups of four, create a short skit that involves one food-related issue and one person-related issue. Include the five words listed below. You must have at least one waiter and two customers. Begin the skit normally and then progress through the issues below. You can mix and match or create your own.

Barcelona, ES

Food-related issues: *wrong order, poor quality of food, customer health, fly in your food, dirty fork, sickness, food allergy, poison, spicy food, etc.*

Person-related issues: *rude waiter, blind date gone awry, a stranger sits with you, your mother crashes your date, police arrest the waiter, etc.*

Include these five words in your skit: mariscos, huevos, probar, estar a dieta, pagar

---

U. ¿Tacaño o generoso?

What percentage do you typically tip to the following people for their services? Compare your answers with a partner's.

¿Cuánto le das de propina a un…?
Le doy quince por ciento.

	taxista	mesero	peluquero	*pizza boy*	maletero
Yo					
Mi compañero/a					

V. Un restaurante

Fill in the blanks with a description of a favorite restaurant near your college or university.

El restaurante es _____ , _____ y _____ . **(3 adjetivos)**

El restaurante sirve _____ y _____ . **(2 platos)**

El restaurante es conocido por _____ .

sus buenos precios	sus vinos	su ambiente	su música
su buen servicio	su pizza	sus postres	sus entremeses
sus platos vegetarianos	sus pastas	sus baños	sus mariscos

Me gusta pedir _____ . Me gusta tomar _____ .

Típicamente cuesta _____ dólares por persona. El restaurante está cerca de

_____ . **(un lugar)**

W. Adivina

Now, read the description of the restaurant from the previous activity to a classmate and ask your partner to guess the name of the restaurant.

X. Ir de tapas   Read the following text and then complete the activities below.

Jesús (Burgos, ES): Pues ir de tapas es salir con los amigos, normalmente en torno al mediodía o antes de cenar. Consiste en ir de un bar a otro, y en cada bar te tomas una cerveza o un vino y lo acompañas con una tapa. Una tapa es un pequeño plato que a veces tiene un trozo de chorizo, un trozo de morcilla, un poco de pan con bonito.[1] Hay cantidad[2] de tapas y dependiendo de la ciudad en la que vivas, las tapas son muy diferentes. Es acompañar la bebida con un poco de comida y con comidas muy variadas. En el sur de España es más típico que en el norte y de hecho a veces las tapas son incluso gratis. Tomándote un vino, te ponen una tapa.

[1]   tuna
[2]   a ton of (coll.)

Describe in English what it means to ir de tapas. *Is this something you would like to do with your friends? Why or why not?*

Decide if the following statements are true or false according to the text above.

	Cierto	Falso
1. Ir de tapas es común en toda España.	☐	☐
2. A veces no tienes que pagar para comer tapas.	☐	☐
3. Ir de tapas es una actividad social que se hace con amigos.	☐	☐
4. Si tienes mucha hambre es mejor ir de tapas que salir a cenar.	☐	☐
5. El texto no menciona una tapa vegetariana.	☐	☐

Y. ¡A escribir!   Plan a visit to your favorite restaurant with friends and/or family. Include what you'll order, what the meal costs, what time you'll go, how long you will stay and where the restaurant is located. Also describe what at least one other person will order.

El próximo fin de semana, mi familia y yo vamos a cenar juntos para celebrar el cumpleaños de mi madre. A ella le gusta ir a un restaurante especializado en carnes que está en el centro. Es un restaurante caro, pero mi padre siempre paga la cuenta.

Mi hermano va a hacer la reservación para las seis el próximo sábado. Nosotros siempre pedimos un bistec poco cocido con una ensalada y compartimos un acompañamiento de macarrones con queso y langosta. Mi papá pide un filete con camarones y una botella de vino para compartir. Generalmente nos quedamos por dos horas conversando y tomando vino.

Después de cenar, solemos ir a una heladería que está cerca del restaurante. Todos pedimos un cono de helado.

La Palma, Guanajuato, MX

Vocabulary 4.3

el bar	bar	**conocer**	to know
el café	café	**estar a dieta**	to be on a diet
la cuchara	spoon	**invitar**	to invite
el cuchillo	knife	**ir de copas**	to go out for drinks
la discoteca	nightclub, discotheque	**quedarse**	to stay
la fiesta	party	**pagar**	to pay
la harina	flour	**pedir** (i, i)	to ask for
el menú	menu	**probar** (ue)	to try, taste
el mesero	waiter	**recomendar** (ie)	to recommend
el ocio	leisure time	**saber**	to know
el plato	plate	**salir**	to leave
la propina	tip	**sentarse** (ie)	to sit down
la servilleta	napkin	**ser alérgico/a**	to be allergic
el tenedor	fork	**servir** (i, i)	to serve
el vaso	glass	**tener** (ie) **hambre**	to be hungry
		tener (ie) **sed**	to be thirsty

4.3a Other irregular verbs in the *yo* form

The following verbs are irregular in the *yo* form of the present tense. The other forms of the verbs are regular. However, the *vosotros* form of *dar* and *ver* does not have an accent mark. Also, notice that *dar* has the same endings as the verb *ir*.

conocer

yo	**conozco**	nosotros/as	conocemos
tú	conoces	vosotros/as	conocéis
él-ella-Ud.	conoce	ellos/as-Uds.	conocen

dar

yo	**doy**	nosotros/as	damos
tú	das	vosotros/as	dais
él-ella-Ud.	da	ellos/as-Uds.	dan

saber

yo	**sé**	nosotros/as	sabemos
tú	sabes	vosotros/as	sabéis
él-ella-Ud.	sabe	ellos/as-Uds.	saben

ver

yo	**veo**	nosotros/as	vemos
tú	ves	vosotros/as	veis
él-ella-Ud.	ve	ellos/as-Uds.	ven

The following verbs are also conjugated like the verb *conocer*, which is irregular in the *yo* form.

ofrecer (to offer; to give):	**ofrezco**, ofreces, ofrece, ofrecemos, ofrecéis, ofrecen
parecer (to look like; to seem):	**parezco**, pareces, parece, parecemos, parecéis, parecen
conducir (to drive):	**conduzco**, conduces, conduce, conducimos, conducís, conducen
traducir (to translate):	**traduzco**, traduces, traduce, traducimos, traducís, traducen

The verbs *saber* and *conocer* both mean 'to know' but are not interchangeable. The verb *saber* is used to express knowledge of information/facts or with an infinitive verb to express how to do something.

¿**Sabes** a qué hora empieza la película?	*Do you know what time the movie starts?*
Los estudiantes **saben** conjugar los verbos.	*The students know how to conjugate the verbs.*
Nosotros **sabemos** tocar el saxofón.	*We know how to play the saxophone.*

The verb *conocer* is used to be familiar with or to be acquainted with a person, a place or a thing.

Conozco al profesor de español.	*I know the Spanish professor.*
Ella no **conoce** a mis padres.	*She doesn't know my parents.*
¿**Conoces** Querétaro?	*Do you know (have you been to) Querétaro?*

A. Conjugaciones — Circle the correctly conjugated form of the verb to complete each sentence.

1. Yo (sabe / *sé*) tocar el saxófono.
2. David y yo (*conocemos* / conozco) a la señora García.
3. Mis hermanos (saben / sabemos) dónde está el partido.
4. El profesor (conozco / *conoce*) Barcelona.

B. ¿Saber o conocer? — Answer the questions below by marking (X) either *saber* or *conocer* based on how the verbs were used in the previous activity. Then select the appropriate verb to complete each sentence.

a) Which verb is used to express knowing a person? ☐ Saber ☒ Conocer

b) Which verb is used for something you know how to do? ☒ Saber ☐ Conocer

c) Which verb is used to know a fact or piece of information? ☒ Saber ☐ Conocer

d) Which verb is used for places you know? ☐ Saber ☒ Conocer

1. Mi primo (*sabe* / conoce) hablar francés.
2. ¿Tú (sabes / *conoces*) bien al doctor Márquez?
3. Yo no (*sé* / conozco) la respuesta.
4. ¿Ustedes (saben / *conocen*) Chicago?
5. Nosotros (*sabemos* / conocemos) a qué hora empieza la clase.

C. Conjugar — Fill in the missing forms of the conjugated verbs.

	dar	ver	ofrecer	conducir
yo	doy	veo	ofrezco	conduzco
tú	das	ves	ofreces	conduces
él, ella, Ud.	da	ver	ofrece	conduce
nosotros	damos	vemos	ofrecemos	conducimos
vosotros	dais	veis	ofrecéis	conducís
ellos, ellas, Uds.	dan	ven	ofrecen	conducen

D. Preguntas — Answer the following questions using complete sentences.

1. ¿Conoces a alguien famoso?

Yo conozco a David Lobve

2. ¿A quién te pareces?

Yo me parcozco a mi

3. ¿Ves muchas películas en el verano?

Yo si veo muchas pellculas

4. ¿Conoces bien el campus de tu universidad?

Si, yo condezo a mi

5. ¿Sabes tocar algún instrumento?

4.3b Superlatives

Superlatives are used to express the highest or lowest degree of quality. In English, superlatives are formed by adding −est to an adjective (tallest, smartest) or using 'most' (most intelligent, most famous). The following construction is used in Spanish. The definite article (*el, la, los, las*) matches the noun being described.

definite article + [noun] + *más/menos* + [adjective] + *de*

El estudiante más trabajador de la clase es Luis.	*The hardest working student of the class is Luis.*
La persona más inteligente de la familia es Isabel.	*The most intelligent person in the family is Isabel.*
La película más popular del mundo es *Star Wars*.	*The most popular movie in the world is Star Wars.*

E. Mi familia   Write the name of the family member that best completes each statement.

1. La persona más inteligente de mi familia es   .
2. La persona más alta de mi familia es   .
3. La persona más habladora de mi familia es   .
4. La persona más generosa de mi familia es   .
5. La persona más atlética de mi familia es   .

F. Lo mejor y lo peor   Write what you think the best and worst are in the following categories.

	Lo mejor	Lo peor
El mejor carro:		
La mejor fruta:		
La mejor película:		
El mejor actor:		
El mejor restaurante:		

G. Completar   Complete the following statements by giving your opinion.

1. El programa más interesante de todos es   .
2. El restaurante más caro de la ciudad es   .
3. La persona más inteligente de mis amigos es   .
4. El cine más barato de la ciudad es   .
5. El mejor actor de Hollywood es   .

H. Superlativos   Use the elements provided to write five superlative statements.

    Modelo: estudiante / inteligente / la clase   *El estudiante más inteligente de la clase es Luis.*

1. restaurante / barato / la ciudad
2. equipo / exitoso / el mundo
3. canción / pegadizo (*catchy*) / la radio
4. programa / educativo / la televisión
5. actor / guapo / los Estados Unidos

Preparando ceviche   Guanajuato, México

4.4 Guía del ocio

Cultura: Free time, Going out, High culture, Madrid
Vocabulario: Stores & shops, Adjectives for food
Gramática: Other verbs that mean 'to be'

A. Tiendas Label the pictures with their corresponding store name.

carnicería	frutería	heladería
joyería	panadería	pastelería
verdulería	pescadería	zapatería

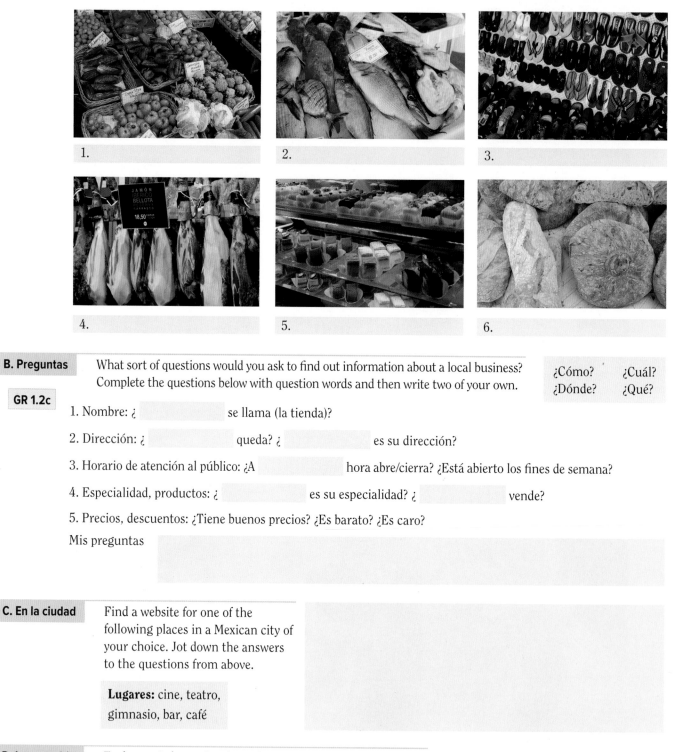

1. _____

2. _____

3. _____

4. _____

5. _____

6. _____

B. Preguntas

GR 1.2c

What sort of questions would you ask to find out information about a local business? Complete the questions below with question words and then write two of your own.

¿Cómo?   ¿Cuál?
¿Dónde?   ¿Qué?

1. Nombre: ¿ _____ se llama (la tienda)?

2. Dirección: ¿ _____ queda? ¿ _____ es su dirección?

3. Horario de atención al público: ¿A _____ hora abre/cierra? ¿Está abierto los fines de semana?

4. Especialidad, productos: ¿ _____ es su especialidad? ¿ _____ vende?

5. Precios, descuentos: ¿Tiene buenos precios? ¿Es barato? ¿Es caro?

Mis preguntas _____

C. En la ciudad Find a website for one of the following places in a Mexican city of your choice. Jot down the answers to the questions from above.

Lugares: cine, teatro, gimnasio, bar, café

D. Intercambio Exchange information from the activity above with a partner and ask what they thought of the website and business.

¿Qué aspectos te gustan?
¿Qué aspectos no te gustan?

E. ¿Cuántas horas?   Indicate the number of hours you spend each day doing the following activities. Then, add two additional ones.

	Horas por día		Horas por día
navegar por internet		escuchar música	
mandar mensajes de texto		pasar tiempo con amigos	
estudiar		hacer ejercicio	
dormir		mirar televisión	
jugar videojuegos		hablar por teléfono	

F. Intercambio   Pick five activities you enjoy doing and share with a partner how much time you spend doing each activity. Then write two statements of comparison based on your findings.

¿Cuántas horas miras televisión?
Miro televisión unas cuatro horas por semana.
¿Cuántas horas levantas pesas?
Nunca levanto pesas.

Guanajuato, MX

G. Mis pasatiempos   On a blank sheet of paper, write a description of your favorite hobbies for someone who doesn't know you, using the information from the previous activity. Start with things that are more common and finish with information that might set you apart. Then give this to your instructor.

Me encanta escuchar música. Escucho música por lo menos tres horas al día. Me disgusta estudiar. Sólo estudio tres o cuatro horas por semana.

H. ¿Quién es?   Now listen as your instructor reads the descriptions from activity G in the third person and try to guess who is being described.

I. Lugares — GR 1.1b

Pick an adjective and a verb that you think relate to the places below. Then, write a complete sentence using the place, adjective and verb. Don't repeat any verbs or adjectives. Be creative and have fun!

	Adjetivo	Verbo	Oración
la discoteca	oscuro	ver	La discoteca es muy oscura y no puedes ver bien.
el gimnasio			
la cafetería			
el estadio			
la biblioteca			
la iglesia			
el cine			

J. Incoherencia — GR 1.1b

Match each place to an adjective, and be prepared to defend your choice to your classmates. Remember agreement!

Mi oficina es agria…

1. la Casa Blanca — a. dulce
2. mi dormitorio — b. agrio
3. la sala de clase — c. frío
4. un bar — d. caliente
5. un cine — e. tibio
6. mi casa — f. picante
7. una discoteca — g. salado

Madrid, ES

K. Tu lugar favorito — GR 3.1b

Fill in the table below with two of your favorite places and the person(s) with whom you go to those places. Then, exchange information with a partner.

¿Cuáles son tus lugares favoritos? ¿Con quién vas?

Mis lugares favoritos	Voy con…	Tus lugares favoritos	Vas con…

L. Su tiempo libre

GR 4.1a

Read the texts about where these individuals like to go and what they like to do. Then complete the activities.

Gerardo (Puebla, MX): La libertad de ser un estudiante ahorita me da mucho tiempo para poder juntarme con un amigo a las dos de la mañana, o tener una plática[1] muy buena con alguien hasta las cinco, seis de la mañana, o puedo encontrármelos en la biblioteca, en la cafetería, en el café, en donde sea. Pero cuando empiece un trabajo, eso va a cambiar bastante.

Jessica (Querétaro, MX): Bueno, depende, si estoy con mis amigas, vamos a tomar café y a echar chisme,[2] a hablar de hombres. Y cuando salgo con mis amigos, vamos al cine, o a algún lugar a bailar, o a jugar boliche,[3] o a veces rentamos una película, cosas así.

Karina (Latacunga, EC): Siempre tratas de ir a donde hay bailes populares. Generalmente, vas a algún bar, tomas cerveza, conversas con tus amigos, comes maíz tostado, es súper bueno. Hacemos cosas así, salir a un bar, o a ver una película, una obra de teatro. Además hay muchas actividades culturales gratis en Quito, entonces hay de todo para hacer.

Zafra, ES

[1] conversation
[2] *echar chisme* – to gossip
[3] *jugar boliche* – to go bowling

Identify the two examples of ir + a + *infinitive. Which example communicates an action in the future?*

Match the following questions to Gerardo (G), Jessica (J) or Karina (K) and place the number of the statement where it is found in the texts.

G/J/K

1. Who looks for things to do that are free?

2. Who goes out to the bars and eats popcorn?

3. Who gossips about love interests with friends?

4. Who stays up all night talking to friends?

5. Who mentions staying in and watching a video with friends?

6. Who appreciates the freedom of currently being a student?

According to the texts above, how do you say…?

a) It gives me a lot of freedom.

b) Things like that.

c) It's great.

d) There are all sorts of things.

How might you say the following sentences?

a) We gossip about boys.

b) Things like that are great.

c) I like all sorts of things.

M. La próxima semana

GR 4.1a

Write one activity you plan to do each day next week. Use the *ir* + *a* + infinitive construction. Do not repeat activities.

El lunes voy a tomar un examen de química.

lunes

martes

miércoles

jueves

viernes

N. ¿Qué vas a hacer?   Exchange information from the activity above with a partner and take notes.

¿Qué vas a hacer el lunes?

O. Este fin de semana

GR 2.4a

Answer the questions about your weekend plans. Mention two activities for each and do not repeat activities.

¿Qué quieres hacer?

¿Qué tienes que hacer?

¿Qué vas a hacer?

P. ¿Y tú?   Ask a partner the questions above and take notes.

¿Qué quieres hacer este fin de semana?

Q. ¡Películas!   Guess the film genres of these Spanish movie titles.

1. Amores Perros
2. Como agua para chocolate
3. Diarios de motocicleta
4. Hable con ella
5. El laberinto del fauno
6. Mar adentro
7. Nueve reinas
8. Sin nombre
9. Valentín
10. Volver

a. aventura
b. comedia
c. drama
d. policíaca
e. romántica
f. suspenso

Durango, MX

R. Mis respuestas   Fill in the blanks with the appropriate words. Then, write your responses in the space below.

1. What type of movie do you prefer?   ¿Qué tipo de película _____ ?

2. What is you favorite movie?   ¿Cuál es tu película favorita?

3. Who is your favorite actor?   ¿ _____ es tu actor _____ ?

4. Who is your favorite actress?   ¿Quién es tu actriz _____ ?

5. What is your favorite book?   ¿ _____ es tu libro favorito?

6. Who is your favorite author?   ¿Quién es tu autor favorito?

S. Entrevista   Using the questions from the previous activity, interview two classmates about their preferences and write down their information below. Don't just read the questions and your answers – have a conversation!

	Compañero/a #1	Compañero/a #2
Tipo de película		
Película		
Actor		
Actriz		
Libro		
Autor		

T. Tus preferencias   Which of the following activities do you prefer? Discuss your choices and reasons with a partner.

¿Escuchar música en vivo o por internet?

¿Ver una película en el cine o en casa?

¿Cenar en un restaurante o en casa?

¿Jugar videojuegos con amigos o solo?

¿Mandar un mensaje de texto o hablar por teléfono?

¿Hacer un proyecto en grupo o una tarea individual?

Mazatlán, MX

U. Con amigos   Read the following text. Then answer the questions in complete sentences.

Burgos, ES

Pilar (Burgos, ES): Cuando eres más pequeño estás en la calle, en el barrio,[1] en un mismo banco. Simplemente, lo que quieres es hablar con tus amigos y jugar con ellos. Si eres un chico probablemente estés jugando algún deporte. Si eres una chica quizás tal vez estarás hablando de tus cosas y comiendo golosinas.[2] Pero cuando ya eres más mayor y puedes ir a los bares, normalmente vas a cafeterías, a bares a tomar algo. Es curioso porque somos animales de costumbres, y normalmente vamos al mismo bar, incluso puede llegar un momento en el que no tengas que quedar con nadie porque sabes que a esa hora, en ese momento tus amigos van a estar en ese lugar y no hace falta siquiera que llames,[3] te pasas y seguro que están allí.

---

[1] neighborhood
[2] sweets, candy
[3] you don't even have to call

> Identify the one example of 'ir + a + infinitive.'

Answer the following questions in complete sentences based on the text.

1. ¿Qué hacen los niños para divertirse?

2. ¿Existe una diferencia entre lo que hacen los niños y niñas para divertirse? Explica.

3. ¿Qué hacen los adultos para divertirse?

4. Pilar no llama a sus amigas para salir al bar. ¿Por qué?

Answer the following questions in complete sentences based on what you think.

5. En tu casa, en tu barrio, ¿qué hacen los niños para divertirse? ¿Juegan en la calle?

6. ¿Estás de acuerdo que "somos animales de costumbre"?

7. ¿Tienes tú costumbres y hábitos que siempre haces?

V. San Isidro   Study the ad and answer the questions.

1. ¿Qué tipo de evento es?

2. ¿Cuál es la fecha?

3. ¿Dónde tiene lugar?

4. ¿Cuánto cuesta?

5. ¿Te gusta este tipo de evento? ¿Por qué (no)?

11 de mayo comienza un programa de música, teatro, circo, baile y fiestas para celebrar al patrón de la ciudad:

SAN ISIDRO.

La celebración empieza con un recorrido en el centro de Madrid a las 19:30 h, donde la gente podrá ver un desfile[1] de gigantes y cabezudos,[2] entre muchas otras cosas.
Las fiestas de San Isidro ofrecen actividades para todos los públicos y para todos los gustos. El circo estará en las calles del barrio de Lavapiés durante varios días; tendrá música, acróbatas, funambulistas[3] y malabaristas.[4] Entrada gratuita.

[1]   parade
[2]   figure with large head
[3]   tightrope walkers
[4]   jugglers

W. Presentación   Prepare a one-minute presentation on an event you would like to attend. Describe the event, including relevant information, and explain why you like that kind of event.

Me gusta mucho el fútbol. Quiero ir a un partido de fútbol en España porque Barcelona FC es mi equipo favorito y Leo Messi es el mejor jugador del mundo. Un partido cuesta 80 euros pero la experiencia no tiene precio.

X. ¿Buena o mala onda?   For each action listed, check the place(s) where it's NOT appropriate to do the action.

	un bar	un cine	una clase	una iglesia	una entrevista
contestar una llamada	☐	☐	☐	☐	☐
coquetear *(to flirt)*	☐	☐	☐	☐	☐
decir malas palabras	☐	☐	☐	☐	☐
eructar *(to burp)*	☐	☐	☐	☐	☐
mandar mensajes de texto	☐	☐	☐	☐	☐
mascar chicle *(to chew gum)*	☐	☐	☐	☐	☐

Y. ¡A escribir!   Write two paragraphs, one about a typical weekend during the year and the other about your plans for this coming weekend. Include activities you do, people you spend time with and places you go. These words and phrases will get you started.

generalmente	con frecuencia
siempre	necesito estudiar
nunca	voy a estudiar
a menudo	(no) quiero estudiar
a veces	prefiero salir con amigos

Barcelonaz, ES

Vocabulary 4.4

el ambiente	atmosphere (e.g., of a bar)	**el sitio**	place
el cambio	change	**el teatro**	theater
la carnicería	butcher shop	**la tienda**	store
el concierto	concert	**la zapatería**	shoe store
la frutería	fruit store	**agrio/a**	sour
la heladería	ice cream parlor	**caliente**	hot (temperature)
la iglesia	church	**chocante**	shocking
la joyería	jewelry store	**dulce**	sweet
la librería	bookstore	**frío/a**	cold
el medio ambiente	environment	**picante**	spicy
el paisaje	landscape	**salado/a**	salty
la panadería	bakery	**tibio/a**	warm
la pastelería	cake shop	**últimamente**	lately
la peluquería	hair salon	**acabarse**	to run out
la pescadería	fish shop	**disgustar**	to dislike

4.4 Other verbs that mean 'to be'

You already learned that the verbs *ser* and *estar* both mean 'to be' in English. There are other expressions in Spanish that translate as 'to be' in English but use different verbs in Spanish.

The first is *hay* (pronounced like 'eye' in English), which translates to 'there is' or 'there are.' The infinitive form of the verb is *haber*, which is an auxiliary verb used to form compound tenses.

¿Cuántos estudiantes hay?	Hay un estudiante. *(There is one student.)*
(How many students are there?)	Hay veinte estudiantes. *(There are twenty students.)*

There are also expressions that are used with the verb *tener*. These are idiomatic expressions because they don't literally translate to the English equivalent. In English, the construction of these expressions uses the verb 'to be' and an adjective. In Spanish, you use the verb *tener* and a noun. Remember that the verb *tener* must be conjugated. For example, *Tengo hambre.* (I'm hungry.) *¿Tienes sed?* (Are you thirsty?)

These are common *tener* expressions:

tener … años	*to be … years old*	tener prisa	*to be in a hurry*
tener calor	*to be hot*	tener razón	*to be right*
tener cuidado	*to be careful*	no tener razón	*to be wrong*
tener éxito	*to be successful*	tener sed	*to be thirsty*
tener frío	*to be cold*	tener sueño	*to be sleepy*
tener hambre	*to be hungry*	tener suerte	*to be lucky*

A. Identificar   Complete the following statements by conjugating the verb *tener* in the blanks provided.

1. Mi padre _tiene_ mucho éxito.

2. Tú _tienes_ prisa cada mañana.

3. Yo no tengo un suéter; por eso _tengo_ frío.

4. Ellos quieren un refresco porque _tienen_ sed.

5. Nosotros _tenemos_ hambre. ¡Vamos a comer!

B. ¿Cuántos años tienen?   Write the names of five friends or family members and indicate how old they each are. Remember to write out the numbers!

Modelo: Mi abuela tiene noventa y un años.

1.

2.

3.

4.

5.

C. Escoger   Circle the most appropriate *tener* expression to complete each sentence.

1. Después de hacer ejercicio en el gimnasio, tengo (frío / **calor**).

2. ¿Quieres ir al restaurante nuevo conmigo? Yo tengo (éxito / **hambre**).

3. Mi hermano tiene (**suerte** / sueño) porque siempre gana dinero en Las Vegas.

4. Los niños deben tener (calor / **cuidado**) cuando navegan por Internet.

5. Estudiamos toda la noche para el examen. Ahora mi compañero y yo tenemos (**sueño** / prisa).

Extracción del aguamiel del agave para pulque   Lachatao, México

Unit 4: En la calle

This sheet lists the communication goals and key cultural concepts presented in Unit 4 *En la calle*. Make sure to look them over and check the knowledge and skills you have developed. The cultural information is found primarily on the website, though much is developed and practiced in the print *cuaderno* as well.

I can:

- [ ] talk about what I like and don't like to drink
- [ ] use *tú* and *usted* in many social situations
- [ ] anticipate different food attitudes by Spanish speakers in North America
- [ ] describe what I eat and when
- [ ] describe what I like and don't like to eat
- [ ] describe things I "usually" do
- [ ] use comparative forms to compare things
- [ ] talk about when I go to restaurants
- [ ] talk about my favorite movie(s)
- [ ] use the word *así* correctly

I can explain:

- [ ] many things about beer in Mexico
- [ ] different associations with different Mexican beer brands
- [ ] a few things about *chocolate*, *pulque* and *tequila*
- [ ] more things about *café*, *ron* and *pisco*
- [ ] yet more things about *agua de coco*, *chicha* and *mote con huesillo*
- [ ] *mate* culture: where it is drunk, how, and with whom
- [ ] Spanish beverages: *vino blanco*, *vino tinto*, *jerez*, *cava*
- [ ] about Spanish *café* and *aguardiente*
- [ ] what a *kiosco* in Mexico is
- [ ] a few things about water in Mexico
- [ ] a few things about different food cultures in Spanish-speaking countries
- [ ] *desayuno*, *almuerzo*, *comida* and *cena*
- [ ] something intelligent about multinational corporations and the food industry in Latin America
- [ ] a few things about *tortillas*, *antojitos* and *frijoles* in Mexico
- [ ] a few associations with *plátanos*, *carne de res*, *chorizo*, *azúcar* and *aceite de oliva*
- [ ] the basics of Spanish table manners
- [ ] basic facts about eating out in Spanish-speaking countries, including but not limited to *primero*, *segundo*, *camarero*, and paying
- [ ] some differences in how time is perceived between the US/Canada and Spanish-speaking countries
- [ ] *tapas*, *paella*, and *tacos al pastor*
- [ ] shopping differences between NA and Spanish-speaking countries
- [ ] something interesting about *teatro*, *conciertos*, *fiestas* and *cine*
- [ ] about *discos*
- [ ] some key buildings/places in Madrid

Unit 5 México

Zinacantán, MX

Unit 5 *México*

In Unit 5 you will learn about the tremendous diversity that exists in Mexico in terms of region, ethnicity, climate and everyday culture of eating and drinking. You will appreciate the tremendous differences that exist between the arid, *ranchero* culture of Northern Mexico, the more indigenous and mountainous south, the colonial highlands in central Mexico, and the highly-urbanized life in *Ciudad de México*, one of the largest and most vibrant cities in the world.

Below are the cultural, proficiency and grammatical topics and goals:

Cultura

Northern Mexico (*ranchero* culture,
    European influence, border with the US)
Southern Mexico (indigenous roots, mountains
    and rain forests, Mayan background)
Central Mexico (colonial background,
    'typical' Mexico, Aztec background)
Ciudad de México (history, districts,
    cultural institutions)

Comunicación

Review of describing home region
Comparing practices
Expressing opinions on cultural and religious beliefs
Describing one's own cultural roots

Gramática

5.1a Past participles as adjectives
5.1b Present perfect
5.2 Review adjective agreement
5.3 Review verb + infinitive construction
5.4 Review of comparisons and superlatives

5.1 El Norte

Cultura: Indigenous words, Santa Ana, *Rancheros*, *Cabrito*
Vocabulario: Country descriptors
Gramática: Past participles as adjectives, present perfect

A. Asociaciones   Write down your associations with northern Mexico.

La Paz, MX

B. ¿Cómo se pronuncia?   Read these words of indigenous origin aloud as a Spanish speaker would. (The names of three indigenous languages appear in bold.) Can you guess what each one means in English?

náhuatl		**taíno**	**quechua**
aguacate	coyote	canoa	cóndor
cacahuate	chicle	huracán	llama
chocolate	tomate	hamaca	puma

C. Placas   Write complete sentences using the letters and numbers from the license plates provided below.

MAS 88 06	**M**arta es una **a**buela **s**impática. Tiene **88** años y tiene **6** nietos.
CHM 68 15	
PCL 43 19	
ADE 82 14	

D. ¿Cómo se escribe?   With a partner, take turns spelling these Mexican cities aloud while your partner writes what you say on scrap paper. Then, try to pronounce the names of the cities together.

Oaxaca	Cuernavaca	Aguascalientes
Xalapa	Ixtapaluca	Chimalhuacán
Irapuato	Tlaquepaque	Coatzacoalcos
Zacatecas	Villahermosa	Nezahualcóyotl

3000 BC – People have begun to settle near San Francisco Bay, though it does not remain continuously inhabited.

500 BC – Hopi Indians migrate out of Mexico into today's southwestern United States.

200 BC – Mogollón people inhabit *Aridoamérica* for 1500 years, leaving behind their famous cliff dwellings.

E. Números de teléfono

For each city, have a partner say one of the numbers while the other identifies the number. Then alternate saying the remaining two numbers for that city.

GR 1.4b

Guadalajara	Ciudad de México
33 3658 5235	55 5130 5252
33 3758 5313	55 5113 5262
33 3658 5335	55 5103 5272

Querétaro	Monterrey
442 251 8166	81 8153 7022
442 252 8167	81 8152 7029
442 251 8176	81 8157 7012

Chihuahua, MX

F. Intercambio

Exchange phone numbers with five classmates in Spanish. Write their names and numbers below.

G. Celebraciones

Below is a list of holidays celebrated in Mexico. First, take turns with a partner reading the dates. Then indicate where the holidays are nationally celebrated.

GR 1.4b

Fecha	Celebración	México	EE.UU.
1 de enero	Año Nuevo	☐	☐
6 de enero	Día de los Reyes Magos	☐	☐
14 de febrero	Día del amor y la amistad	☐	☐
10 de mayo	Día de la Madre	☐	☐
16 de septiembre	Día de la Independencia	☐	☐
1 de noviembre	Día de Todos los Santos	☐	☐
12 de diciembre	Día de la Virgen de Guadalupe	☐	☐
16-24 de diciembre	Las Posadas	☐	☐
24 de diciembre	Nochebuena	☐	☐
25 de diciembre	Navidad	☐	☐

---

300 AD – Hohokam people of Sonora trade for Gulf of California shells and parrot bones from central Mexico.

1100 – Hopi Indians found Oraibi, the oldest continuously occupied town in the present United States.

1300 – Paquime (N. Chihuahua) becomes trading center in north Mexico, creating largest settlement in region.

H. Santa Anna   Read the following text about political leader Santa Anna (1794-1876) and complete the activities that follow.

Antonio López de Santa Anna, mejor conocido como Santa Anna, fue un líder político y militar mexicano que ocupó la presidencia de México once veces en diferentes ocasiones.

Bajo su gobierno, Texas se independizó y luego se anexó a los Estados Unidos. A pesar de que en un principio Santa Anna ganó la batalla de El Álamo con un ejército comandado por él mismo, el Napoleón del Oeste fue derrotado[1] y capturado por tropas estadounidenses.

En 1838, Santa Anna tuvo la oportunidad de redimirse en la Guerra de los Pasteles al defender con éxito la nación cuando fuerzas francesas llegaron a Veracruz. Sin embargo, resultó herido en la pierna mientras el enemigo se retiraba. Después de la amputación, ordenó un funeral militar en honor a su pierna perdida.

Se sabe que Santa Anna usó una pierna de corcho y que ésta fue capturada en 1847 por los estadounidenses en la Guerra México-Americana. Hoy se exhibe en el Museo de La Guardia Nacional en Springfield, Illinois. Después Santa Anna se exilió en Colombia, y

Veracruz, MX

México perdió los estados de California, Nuevo México, Arizona, Nevada y Colorado por medio del Tratado de Guadalupe Hidalgo.

En 1853, Santa Anna fue nombrado presidente por última vez. Para obtener dinero, vendió a los Estados Unidos el territorio de La Mesilla, en el sur de Arizona y Nuevo México.

---

[1]   defeated

Write the number of each statement about Santa Anna next to its Spanish equivalent in the text.

1. He was known as The Napoleon of the West.

2. He led his army to victory at the Alamo.

3. He tried to redeem himself during the Pastry War when French forces invaded Mexico.

4. His cork leg is on display at the National Guard Museum in the United States.

5. He was president of Mexico 11 different times.

6. As president, he sold land to the United States in order to obtain money.

7. He injured his leg during the Pastry War and ordered a military funeral in honor of his amputated leg.

8. Mexico lost California, New Mexico, Arizona, Nevada and Colorado as a result of the Treaty of Guadalupe Hidalgo.

Why do you think Santa Anna was also known as "Quince Uñas" (nails)?

1519 – The Spanish bring the first horses to the Americas.

1530 – Jesuits and other monks build fortress-like churches that later serve as protection during Indian rebellions.

1540 – García López de Cárdenas finds nothing valuable at the Grand Canyon and leaves empty handed.

I. ¡Un ranchero bien macho!   The texts below are answers to the question: What do you associate with the word *ranchero*? Read the responses and complete the activities.

Carolina (Toluca, MX): Bueno, hay dos tipos. El ranchero que es el dueño[1] del rancho, el rico, el capataz,[2] vive bien, generalmente no tiene educación, pero tiene mucho dinero. El otro es campesino, gente humilde[3] que por obligación ha sido enseñada u obligada a ser sumisa y servil. Con frecuencia son gente tímida pero muy sincera, inmediatamente te dan su amistad y son muy, muy amigables.

Michelle (Querétaro, MX): Un ranchero es un hombre típico de México. Es un hombre que viste con botas de serpiente, con un sombrero vaquero, con jeans, con las chaparreras, camisa de cuadros, vive en un rancho, se la pasa arriando[4] a las vacas y anda a caballo. Es muy macho, muy hombre. Es una persona muy decidida, que impone, que toma las decisiones, con los pantalones bien puestos.

Renata (Veracruz, MX): Un ranchero puede ser muchas cosas, puede ser una persona sin educación, de rancho, rural. Y también puede ser una persona que en verdad trabaja en un rancho o alguien que es dueño de un rancho, así que depende del contexto.

1   owner
2   foreman
3   humble
4   herding

Elda (Querétaro, MX): Un ranchero es un señor correoso,[5] fuerte, con un sombrero y su piel morena por el trabajo que ha hecho en el sol, en el rancho. Un rancho para mí es una propiedad, donde se trabaja la tierra, donde se tienen y se crían[6] animales.

5   tough
6   raise

Chihuahua, MX

Indicate the person(s) who best answer(s) each question.

	Carolina	Michelle	Renata	Elda
1. ¿Quién dice que un ranchero no tiene educación?	☐	☐	☐	☐
2. ¿Quién describe la ropa de un ranchero?	☐	☐	☐	☐
3. ¿Quién menciona animales?	☐	☐	☐	☐
4. ¿Quién dice que un ranchero es simpático?	☐	☐	☐	☐
5. ¿Quién dice que un ranchero es macho?	☐	☐	☐	☐

List the adjectives and phrases in the text used to describe the types of rancheros.

J. Personajes de nuestra cultura   Working in groups, select a real or imaginary person from your region or country who might be similar to either Santa Anna or the *ranchero* figure in Mexico. On a separate sheet of paper, create a list of adjectives and/or accomplishments to describe the person. Then share your list with the class and have them guess who it is.

1616 – Jesuit priests fail to act against an Indian rebellion because they (incorrectly) believe Indians will not harm them.

1650 – Franciscan monks believe an earlier laxity toward Indian religions was a mistake and redouble efforts to convert the indigenous people.

1680 – Pueblo Indians revolt against Spain and drive them from Santa Fe to El Paso. Spaniards regain control of the New Mexico colony in 1692.

K. Asociaciones   Write down at least two things you associate with each of the following cities.

Mazatlán

Tijuana

Chihuahua

La Paz

Juárez

Durango

Monterrey

L. Preferencias personales   Talk with a partner about the following questions.

1. ¿Has visitado un lugar desértico? Explica.

2. ¿Prefieres el calor o el frío? Explica.

3. ¿Te gustan los cambios extremos de temperatura? Explica.

4. ¿Cuál es tu estación favorita? ¿Por qué?

5. ¿Qué mes del año no te gusta? ¿Por qué?

6. ¿Cuál de las ciudades mencionadas quieres visitar? ¿Por qué?

M. Juego de palabras   Match the following words with their meanings in Spanish.

Tijuana, MX

1. ___ tortillita   a. Lugar donde venden fruta.

2. ___ taquería   b. Lugar donde hacen y venden tortillas.

3. ___ frutería   c. Hombre que hace y vende tacos.

4. ___ tortillería   d. Pan pequeño.

5. ___ panadería   e. Hombre que hace y vende pan.

6. ___ tortillero   f. Lugar donde hacen y venden tacos.

7. ___ pancito   g. Tortilla pequeña.

8. ___ taquero   h. Lugar donde hacen y venden pan.

9. ___ panadero   i. Contenedor[1] para poner las tortillas y mantenerlas calientes.[2]

---

[1]   container
[2]   to keep them warm

1767 – Carlos II evicts the Jesuits from the Americas, partially because of their success in winning natives' loyalty.

1790 – New Spain covers Arizona, New Mexico, Nevada, Utah, Colorado, California, Texas, Louisiana and parts of Florida.

1829 – An abortive Spanish invasion at Tampico highlights General Santa Anna as a strong leader who can protect Mexico.

N. La Zona del Silencio Read the following text about the Zone of Silence and answer the questions.

Uno de los lugares que los mexicanos asocian con la parte norte del país es La Zona del Silencio. La Zona se localiza entre los estados de Durango, Chihuahua y Coahuila. Este lugar se llama así porque la transmisión de ondas[1] de radio se bloquea debido a la existencia de campos[2] magnéticos. Por esta razón, ni las brújulas,[3] ni los teléfonos celulares ni los aparatos eléctricos funcionan bien o simplemente se apagan.

Otro aspecto único de La Zona es la gran cantidad de fósiles, fragmentos de aerolitos,[4] reptiles con mutaciones y la existencia de nopales[5] color violeta. Todos estos fenómenos sirven de base para darle características sobrenaturales al lugar e inventar una serie de mitos; como la idea de que es una base de aterrizaje de[6] extraterrestres. La Zona del Silencio es comparada con el Triángulo de las Bermudas y las Pirámides Egipcias.

[1] waves
[2] fields
[3] compasses
[4] meteorites
[5] kind of cactus
[6] landing

Barrancas del Cobre, MX

Algunas personas piensan que no hay nada especial en La Zona; sin embargo, su reputación es muy popular y es común ver reportes de este lugar en la televisión mexicana, especialmente los programas de Jaime Maussan, un famoso ufólogo mexicano.

1. Menciona 3 cosas extrañas que pasan en La Zona del Silencio.

2. ¿Qué es diferente en la naturaleza y los animales en La Zona?

3. ¿Qué piensa la gente que causa estos fenómenos sobrenaturales?

4. ¿Con qué otros lugares se compara La Zona?

O. ¿Crees que...? In small groups, talk about your thoughts about supernatural events or beings.

¿Crees en...?	*Do you believe in...?*
¿Piensas que...?	*Do you think that...?*
¿En serio? ¿De verdad?	*Really?*
Nunca he visto un(a)...	*I have never seen...*

1836 – General Santa Anna fails to protect Mexico's northern borders as Texan freedom fighters defeat him.

1848 – Mexico loses nearly half its territory to the United States after the Mexican-American War.

1853 – Santa Anna sells the Gadsden Strip to the U.S. for $5 million, making possible the second transcontinental railroad.

P. Cabrito   Lupita talks about her favorite food, *cabrito*. Read the text and complete the activities that follow.

Lupita (Saltillo, MX): El cabrito es algo muy típico del norte de México. Mi mamá lo preparaba; mi mamá era una artista para cocinar. Papá iba y compraba el cabrito bien tiernito[1] y luego ellos mismos lo cocinaban en casa. Mi papá lo mataba[2] y asaba. De la sangre se preparaban lo que es la fritada, un caldo[3] con verduras y carne del mismo cabrito. El cabrito es muy grasoso y realmente, tiene muy poca carne. Mi papá lo ponía en las brasas[4] sobre la parrilla[5] con una salsa que hacía mi mamá, con diferentes chiles: colorado, cascabel y pasilla. ¡Es deliciosísima! Este es uno de los platillos que a mí más me encanta y que todavía es muy típico en el norte de México.

---

[1] tender, young
[2] *matar*–to kill
[3] hot stew
[4] coals
[5] grill

Cabrito al pastor, Monterrey, MX

Lupita is talking about when she lived at home, using a past tense form called the imperfecto, *which describes things that happened repeatedly. What endings do you notice for the imperfect?*

Describe what happens in the present tense when Lupita's family prepares cabrito, *listing each activity under the appropriate column. Watch your verb endings!*

el papá	la mamá	los dos

¿Te interesa comer cabrito? Explica.

Q. Plato típico favorito   Talk with a partner about the following questions.

1. ¿Existe un plato típico en tu familia, en tu región o en tu cultura? Descríbelo.
2. ¿Con quién y cuándo se come el plato típico?
3. ¿Te gusta el plato típico? Explica.
4. ¿Cuál es tu comida favorita?

1910 – Like other Porfirian reforms, the growth of railroads in northern Mexico disproportionately benefits the rich.

1937 – Germany contacts Mexican political parties but cannot find major fascist allies in the country.

1942 – Mexico helps the Allied war effort by providing the raw materials for up to 40% of US industrial output.

R. El norte   Jorge describes northern Mexico. Read through his thoughts and associations and complete the activities.

Jorge (Pátzcuaro, MX): La gente del norte es trabajadora; el norte tiene una naturaleza más dura.[1] Chihuahua es muy árido, frío, con clima extremo. La gente de Nuevo León es muy trabajadora, tiene a Monterrey como la capital industrial del país. Ahí estudié yo, en el Tec, en Monterrey, y pues es una ciudad moderna.

Lo que es la frontera norte es otra cosa. Lo que tiene ahorita es el problema de las drogas pero ha sido siempre una población rápidamente creciente[2] por la gente que va del centro al norte con la intención de cruzar al otro lado y se queda[3] a trabajar allí por la industria maquiladora. Ahí arman[4] televisores, lavadoras, electrónica, autopartes, etcétera, entonces es una zona de mucho trabajo, de mucho crecimiento hoy, sobretodo lo que es Tijuana, Juárez, pero con muchos problemas de inseguridad también.

---

[1] tough
[2] growing
[3] *quedarse* – to stay
[4] *armar* – to assemble

Chihuahua, MX

	Positivo	Neutro	Negativo
Write Jorge's associations with the north in the appropriate column.			
¿Qué región en tu país es similar al norte de México? ¿Cómo?			
¿Qué región en tu país es tu favorita? ¿Por qué?			

S. ¡A escribir!   Describe your home town, city and/or region for someone who is from Northern Mexico who doesn't know much, if anything, about your home. Find points of comparison, similarities and differences so that you can situate the reader.

¿Cómo es el clima?
¿Cómo es la gente?
¿Está cerca de una ciudad grande?
¿Es una ciudad turística, industrial o rural?
¿Dónde trabaja la mayoría de la gente?

1964 – Bracero Program, allowing 100,000's into the US annually, ends after 22 years. Mexico encourages *maquiladoras* to address unemployment instead.

1994 – NAFTA sparks strong emotions in Mexico, especially among the lower classes and indigenous people.

2000 – Center-right candidate Vicente Fox wins presidential elections, ending 71 years of center-left rule.

Vocabulary 5.1

el caballo	horse	**el tratado**	treaty
el cabrito	kid (goat)	**el vaquero**	cowboy
el campesino	farmer	**herido/a**	injured
el campo	countryside	**inseguro/a**	insecure; uncertain
el clima	climate	**peligroso/a**	dangerous
el dueño	owner; landlord	**apagar**	to turn off
el gobierno	government	**asar**	to roast
la guerra	war	**bloquear**	to block
la maquiladora	Mexican assembly plant	**cruzar**	to cross
la nación	nation	**funcionar**	to work; to function
la naturaleza	nature	**ganar**	to win; to earn
el problema	problem	**localizar**	to place, locate
la propiedad	property	**obtener** (ie)	to obtain
el territorio	territory	**quedarse**	to stay

5.1a Past participles as adjectives

In English, most past participles end in –ed (studied, worked) or –en (written, broken). Forming the past participle in Spanish is similar to forming the present participle. In Spanish, the past participle is formed by removing the infinitive ending and then adding –ado to –ar verbs and –ido to –er and –ir verbs. There are no stem changes required when forming the past participle. When the stem of an –er or –ir verb ends in a vowel, a written accent is required over the i of the ending. However, this rule does not apply for verbs that end in –uir.

Infinitive Verb	→	**Past Participle**
trabajar		trabajado
comer		comido
preferir		preferido
creer		creído
oír		oído

The past participles are often used as adjectives with the verb *estar*. When used as an adjective, past participles must agree in both gender and number with the noun they modify.

These verbs have irregular past participles:

abrir	*abierto*	escribir	*escrito*	resolver	*resuelto*
cubrir	*cubierto*	hacer	*hecho*	romper	*roto*
decir	*dicho*	morir	*muerto*	ver	*visto*
describir	*descrito*	poner	*puesto*	volver	*vuelto*

A. Identificar Correctly conjugate the verb *estar* in the blank provided. Then circle the past participles that follow *estar*.

1. La cama _____ hecha.
2. Las computadoras _____ compuestas.
3. El problema _____ resuelto.
4. Los estudiantes _____ preparados para el examen.
5. La cuenta _____ pagada.
6. Los brazos _____ rotos.

B. Categorías Write the past participles you circled under the appropriate category.

Masculino/Singular	Femenino/Singular	Masculino/Plural	Femenino/Plural

C. Participio pasado   Write the past participle of the following verbs.

1. pagar

2. conocer

3. aburrir

4. lavar

5. leer

6. cerrar

D. Irregulares   Write the infinitive form of these irregular past participles.

1. escrito

2. dicho

3. visto

4. puesto

5. hecho

6. abierto

E. Adjetivos participios   Circle the past participles used as adjectives in the models below. Then underline the noun with which it agrees.

El restaurante está cerrado.   *The restaurant is closed.*

Los estudiantes están preparados.   *The students are prepared.*

La cama está hecha.   *The bed is made.*

Las ventanas están abiertas.   *The windows are open.*

F. Completar   Write the past participle of the verb in parentheses. Remember that they must agree in gender and number with the nouns they modify.

1. La mesa está _____ (poner).

2. Los platos están _____ (lavar).

3. Todas las ventanas están _____ (abrir).

4. Los clientes están muy _____ (enojar).

5. La composición está _____ (escribir).

6. Mi apartamento está muy _____ (desordenar).

5.1b Present perfect

The present perfect is a compound tense, which requires an auxiliary verb and the past participle. In English, the present perfect expresses what someone 'has done.' The construction of this compound tense in Spanish uses the present tense of the verb *haber* (to have) and the past participle of the main verb. The past participle is formed by removing the infinitive ending and then adding *–ado* to *–ar* verbs and *–ido* to *–er* and *–ir* verbs. When the stem of an *–er* or *–ir* verb ends in a vowel, a written accent is required. The verbs with irregular past participles are listed above.

comer

yo	he comido	*I have eaten*	nosotros	hemos comido	*we have eaten*
tú	has comido	*you have eaten*	vosotros	habéis comido	*you have eaten*
Ud.-él-ella	ha comido	*you have eaten; he/she has eaten*	Uds.-ellos/as	han comido	*you have eaten; they have eaten*

The verb *haber* and the past participle are never separated and always appear in that order. The form of the verb *haber* will always agree with the subject. Notice that there is only one form of the past participle, which always ends in *–o*. In order to negate a statement the word *no* goes immediately before the verb *haber*.

G. Completar   Write the past participle of the given verb in the blank provided. Remember that the past participles should all end in –o when used in the present perfect tense. Then mark (X) the activities you have done.

1. Nosotros hemos _____ (viajar) a Europa. ☐

2. Juliana ha _____ (tomar) una clase de arte. ☐

3. Ustedes han _____ (vivir) en una ciudad grande. ☐

4. Ernesto y yo hemos _____ (comer) sushi. ☐

5. Yo he _____ (leer) los libros de Harry Potter. ☐

6. Javier ha _____ (comprar) un carro nuevo. ☐

7. ¿Tú has _____ (esquiar) en las montañas? ☐

8. Ellas han _____ (ver) muchas películas extranjeras. ☐

H. Identificar   Circle the past participle in each of the models below. Then write the infinitive form of the past participle in the blank provided.

Han leído la novela. _____   *They have read the novel.*

¿Has ido a Buenos Aires? _____   *Have you gone to Buenos Aires?*

No hemos comido. _____   *We have not eaten.*

No me ha llamado. _____   *He has not called me.*

I. Preguntas   Answer the following questions in complete sentences.

1. ¿Has viajado al extranjero? ¿Adónde?

2. ¿Has llamado a tus padres esta semana?

3. ¿Has estado en el hospital por la noche?

4. ¿Han salido tú y tus amigos recientemente?

Día de los Muertos   Tzurumútaro, México

5.2 El Sur

Cultura: Mayan culture, Yucatán, Cities, Oaxaca, *Mole*
Vocabulario: Terms to describe southern Mexico
Gramática: Review adjective agreement

A. Asociaciones   Write down your associations with southern Mexico.

B. Vacaciones   Check off all of the things you like to do when you go on vacation. Then, write three sentences about a place where you've vacationed before and what you did while you were there.

☐ leer	☐ asistir a	☐ descansar	☐ hacer turismo
☐ bailar	☐ sacar fotos	☐ tomar el sol	☐ comer en restaurantes
☐ pasear	☐ ir a la playa	☐ visitar museos	☐ comprar recuerdos
☐ visitar	☐ esquiar	☐ hacer ejercicio	☐ ir de compras
☐ nadar	☐ acampar	☐ dormir mucho	☐ ir de excursión

Cuando voy a Nueva York, me gusta asistir a una obra en Broadway. Cuando voy a Colorado, me gusta esquiar y visitar a mi familia.

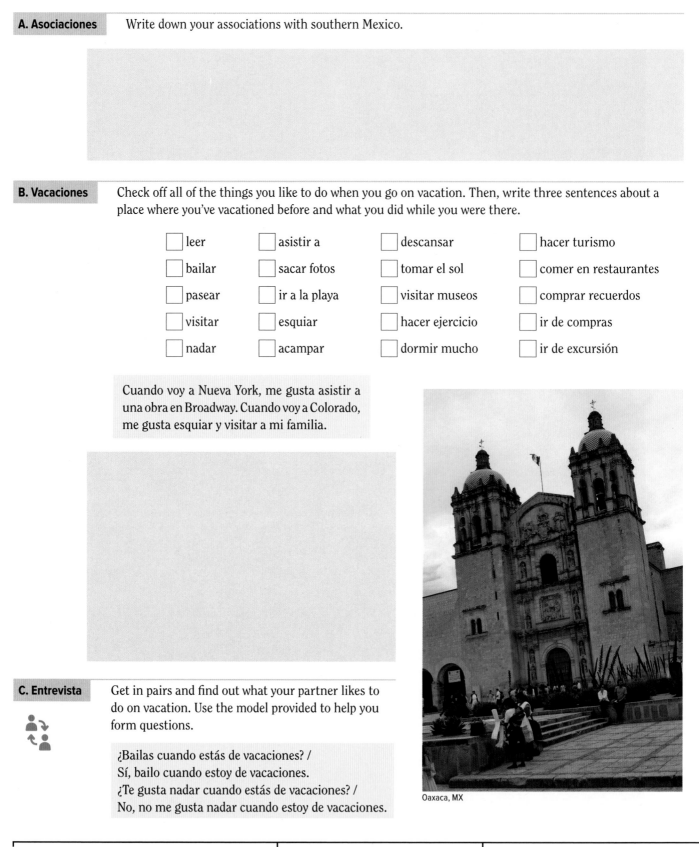

Oaxaca, MX

C. Entrevista   Get in pairs and find out what your partner likes to do on vacation. Use the model provided to help you form questions.

¿Bailas cuando estás de vacaciones? /
Sí, bailo cuando estoy de vacaciones.
¿Te gusta nadar cuando estás de vacaciones? /
No, no me gusta nadar cuando estoy de vacaciones.

10,000-7000 BC – Maize and squash are domesticated in southern Mexico.

3114 BC – Mayan calendar marks this as year one.

1200 BC – Rubber balls for the "Mesoamerican ball game" become a major Olmec export.

D. Yucatán   Carolina (Toluca, MX) talks about her impression of the *Yucatán* peninsula. Read the text and complete the activities that follow.

La península de Yucatán es jungla, es muy bonita, es muy verde. Al manejar por esas áreas ves mangos, ves platanales, hasta llegas a ver al mono araña, balanceándose, gritando y haciendo su ruido. Encuentras cajas ya sea de plátano o de mango, o de cualquier fruta que ellos tengan allá, afuera al pie de la carretera, por si quieres comprarla y a un precio regalado.[1] Y te dan a probar lo que tú quieras probar hasta te invitan a la casa a comer, te hacen amistad.

No es sofisticado, es más de tipo rústico. Las calles son angostas[2] y generalmente las casas son blancas con techos[3] rojos. También encuentras en la parte de la jungla lo que se llaman muchas chocitas,[4] que era como vivían los mayas. Esa área de mayas es un área pobre desafortunadamente. En las ciudades grandes o turísticas encuentras más desarrollo. Las ciudades son muy pintorescas y sobre todo la cantidad de flores. Me acuerdo la primera vez que fui a Mérida, Yucatán, la entrada, llena de magnolias rojas, moradas y fucsias. Era como si estuvieras viendo un cuentito[5] de que alguien

Cobá, MX

lo pintó para ti, un cuadro.[6] Y la gente toda viste de blanco, totalmente de blanco, y las casas y las calles súper limpias. No sé por qué les gusta mucho limpiar y barrer, y barrer con agua, pero es la experiencia que tengo en el sureste de México.

[1]   at a price that's a steal
[2]   narrow
[3]   roofs
[4]   shacks
[5]   as if you were seeing a story painted for you
[6]   painting

1. Indicate whether the following descriptors most likely apply to Yucatán (Y) *or* el Norte de México (N).

☐ trabajador	☐ burros	☐ muchas plantas
☐ monos	☐ seco	☐ como Arizona
☐ turístico	☐ pobreza	☐ como Florida

2. Underline three things you would like to see on the Yucatán peninsula.

3. Pick two regions in your home country that contrast strongly and write three Spanish sentences describing the differences.

600 BC – People in southern Mexico create a writing system, a feat only duplicated by the Chinese and Mesopotamians.

1 AD – Mayans first create the forerunner of modern hot chocolate, a cold, spicy, bitter beverage.

725 – Mayan stonecarvers create iconic stone reliefs depicting revered religious practices.

211

E. Los mayas

The Mayans are a cultural group closely associated with southern Mexico, the *Yucatán* peninsula and Guatemala. Read through the text and complete the activities that follow.

Palenque, MX

La cultura maya es una de las etnias con mayor presencia en México. Es una de las culturas más antiguas en Mesoamérica (ap. 2000 AC-1500 DC) y fue una de las más desarrolladas[1] de la época prehispánica. Los mayas crearon una economía sólida basada en la agricultura aunque no contaban con la rueda,[2] animales de tiro o suficiente agua. Actualmente, los integrantes de esta etnia viven en el sureste de México en la península de Yucatán, y se extienden hasta el norte de Honduras. Pese al[3] paso del tiempo, este grupo todavía preserva su lengua, sus prácticas religiosas y sus costumbres ancestrales.

Una de las costumbres que la población de Mesoamérica compartía era el juego de pelota. No se conocen con exactitud las reglas del juego, pero se sabe que se jugaba entre dos equipos de 2 a 4 personas, dentro de un área delimitada por dos paredes inclinadas. La idea era mantener la pelota en juego, golpeándola únicamente con las caderas[4] y pasarla por en medio de un aro que estaba fijo en la pared. El material del cual estaba hecha la pelota (piel de animales o goma) la hacía muy pesada y dura, razón por la que los jugadores resultaban lastimados con frecuencia. Este juego tenía en ocasiones un carácter político y se utilizaba para arreglar desacuerdos y con ello evitar la guerra. Debido a su carácter político y religioso, el juego podía ser peligroso, pues se cree que los jugadores o el capitán del equipo perdedor podían ser sacrificados en tributo a los dioses. En la actualidad[5] aún se practica un juego de pelota similar llamado *ulama* en el estado de Sinaloa en el norte de México.

---

[1]   developed
[2]   wheel
[3]   despite
[4]   hips

[5]   nowadays

1. Nombra los países actuales del territorio maya.

2. ¿Qué tecnologías o recursos no tenían los mayas?

3. Describe dos semejanzas entre el juego de pelota maya y una guerra.

4. Escoge tú un deporte para resolver conflictos internacionales y explica tu selección.

1000 – Southern Mexican climate becomes much drier and seasons shift, perhaps due to a massive destruction of plant life.

1200 – The Mayans start work on one of their last cities, Tulum, on cliffs overlooking the Caribbean Sea.

1519 – Two Spaniards living with the Maya since their 1511 shipwreck choose different paths: one stays with his native family and the other joins Cortés.

F. Un alebrije   Read Claudia's (Querétaro, MX) description of an *alebrije*.

> Un alebrije es una pequeña escultura de un animal que tiene diferentes características. Puede ser un sapo y a la vez puede ser un caballo, puede ser una rana y tener alas. Los alebrijes son de madera o de papel, son pintados a mano y son característicos de Oaxaca, México.

Write what you understand an alebrije *to be in English. Speculate what purpose you think an* alebrije *might serve.*

G. Mi alebrije   Write a description of your own *alebrije* using the model provided. Use at least five different body parts and five different colors. Remember to make the adjectives agree in number and gender.

GR 1.1b

> Mi alebrije es una mezcla de tres animales y se llama Ramuga. Tiene el cuerpo y la cabeza de una rana. Su cuerpo es morado y su cabeza es amarilla. Sus ojos son grandes y negros. Tiene alas y orejas de un murciélago. Éstas son moradas también. Tiene patas y cola de un gallo. Sus patas son azules y su cola es roja.

las alas	wings
la cabeza	head
la cola	tail
el cuerno	horn
la lengua	tongue
la nariz	nose
los ojos	eyes
las orejas	ears
las patas	paws

el caballo	horse
la culebra	snake
el gallo	rooster
el lagarto	lizard
el murciélago	bat
el pájaro	bird
el pingüino	penguin
la rana	frog

H. Mi dibujo   Read your description to a classmate and see if your partner can draw your *alebrije* on a separate sheet of paper. Listen carefully and ask your partner to repeat if necessary.

1562 – The Bishop of the Yucatán orders thousands of Mayan images and documents burned.

1600 – Native Americans fight Spanish crimes through free legal aid in the General Indian Court.

1628 – Dutch warships seize a Spanish silver fleet, netting themselves 11.5 million guilders, or roughly $160-180 million today.

I. Asociaciones   Write down at least two things you associate with each of the following cities.

Mérida

Veracruz

Oaxaca

Villahermosa

San Cristóbal

Cancún

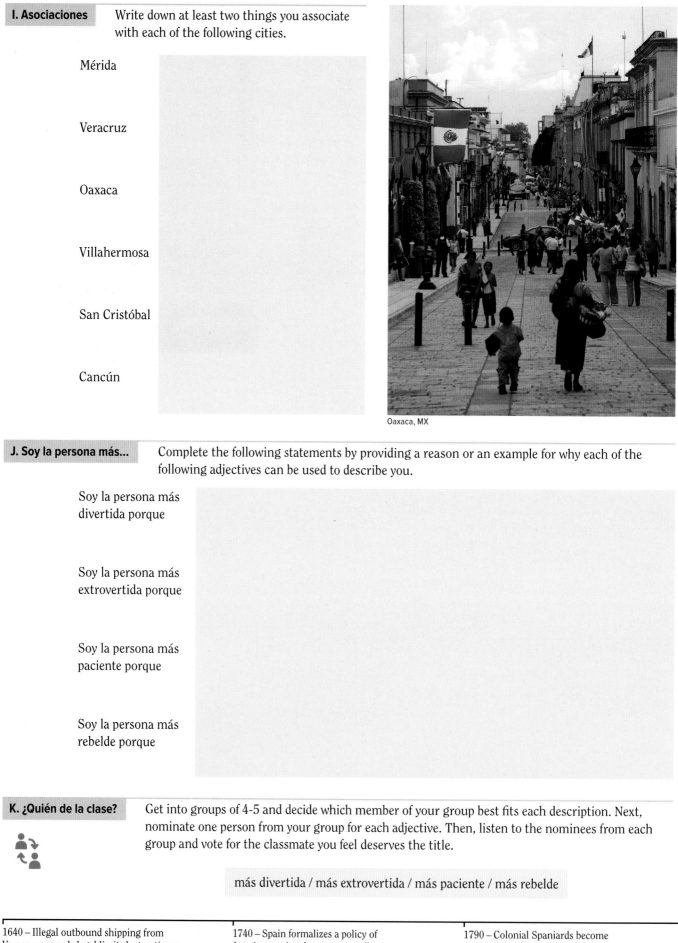

Oaxaca, MX

J. Soy la persona más...   Complete the following statements by providing a reason or an example for why each of the following adjectives can be used to describe you.

Soy la persona más
divertida porque

Soy la persona más
extrovertida porque

Soy la persona más
paciente porque

Soy la persona más
rebelde porque

K. ¿Quién de la clase?   Get into groups of 4-5 and decide which member of your group best fits each description. Next, nominate one person from your group for each adjective. Then, listen to the nominees from each group and vote for the classmate you feel deserves the title.

más divertida / más extrovertida / más paciente / más rebelde

---

1640 – Illegal outbound shipping from Veracruz exceeds legal limits by ten times, depriving Spain of much-needed tariffs.

1740 – Spain formalizes a policy of favoring *peninsulares* over *criollos* in colonial government.

1790 – Colonial Spaniards become dissatisfied because of a rapidly expanding population, inflation and war in Europe.

L. El mole   Foods can represent aspects of a culture. Read the following description of *mole* and complete the activities.

Chocolate, cuatro variedades de chiles, plátanos, tomates, almendras,[1] clavo,[2] canela,[3] ajonjolí[4] y mucho más son algunos de los ingredientes más importantes del mole, platillo típico de México. La palabra mole se origina en el vocablo náhuatl: *molli* o *moli* se refiere a cualquier tipo de salsa, y este plato es precisamente eso, una salsa espesa que combina esos ingredientes para acompañarlos con pollo o pavo y arroz. El mole es representante perfecto del mestizaje cultural y culinario de este país, ya que lleva ingredientes mexicanos, europeos y asiáticos, los dos últimos llevados a México por los españoles en el siglo XVI.

El origen de este platillo está rodeado de leyendas y personajes legendarios, pero todas ellas apuntan a los conventos de la colonia, en donde las monjas, junto a cocineras indígenas o africanas, inventaban nuevas recetas o adaptaban otras, y de estas adaptaciones nace el mole. Hay moles de todos colores y sabores: rojos, verdes, amarillos, marrones y negros. Increíblemente existen más de cien variedades de este platillo y octubre es el mes cuando se pueden probar porque es el mes del mole. Es tal la importancia que este platillo ha cobrado a nivel nacional e internacional que la UNESCO lo ha declarado patrimonio inmaterial de la humanidad.

[1] almonds
[2] clove
[3] cinnamon
[4] sesame

Oaxaca, MX

1. ¿De dónde origina la palabra mole?

2. ¿Qué tiene de especial los ingredientes del mole?

3. ¿Por qué representa el mole una mezcla cultural?

4. ¿Dónde tiene su origen el mole?

5. ¿Cuándo es posible probar diferentes tipos de mole?

6. Describe un plato típico de tu país que ha logrado fama internacional.

1812 – Secret societies attempt to influence the war with Spain but are generally ineffective.

1848 – The Yucatán peninsula declares neutrality in the Mexican-American War and considers annexation to Spain or the U.S.

1884 – Mexico begins economic expansion under Porfirio Díaz resulting in mixed results between different classes.

M. Los Pueblos Mancomunados

The *Pueblos Mancomunados* are eight remote Oaxacan villages that banded together centuries ago to cooperate economically. Today the focus is ecotourism. Read Griselda's text and answer the questions that follow.

Griselda (Latuvi, MX): La vida en los Pueblos Mancomunados[1] es muy buena, muy tranquila. Todos los días estamos en contacto con la naturaleza. Todo lo que consumimos en los pueblos es natural, orgánico. También diferencia el contacto que tenemos con la gente; nosotros siempre acostumbramos platicar con la gente. Para nosotros el turista que nos visita es más un amigo que llega. No es un cliente, es un amigo que está llegando. Entonces nosotros tratamos de ser cálidos con la gente para crear esta unión.

Sierra Norte, Oaxaca, MX

Mi pueblo, Latuvi, tiene alrededor de 600 habitantes. En Latuvi la lengua es zapoteco.[2] Un 50% de la población puede hablar zapoteco. En la comunidad se realiza una reunión general con todos los habitantes de la comunidad para elegir a las personas que nos van a representar y las instalaciones importantes con las que va a contar la comunidad. Actualmente, Latuvi cuenta con una agencia municipal, una clínica de salud, escuelas de nivel básico, una iglesia católica y energía eléctrica, agua potable y alcantarillado.[3] Es una comunidad que está muy bien organizada.

[1] commonwealth of villages
[2] Zapotec, an indigenous language
[3] sewerage

1. ¿Cómo reciben a los turistas?

2. ¿Qué lenguas hablan?

3. ¿Qué servicios tienen en la comunidad?

4. *Look up images of Latuvi, Oaxaca, México on the internet. Then describe it in Spanish using adjectives, phrases and sentences.*

1912 – Emiliano Zapata and the *Zapatistas* pursue the goal of land redistribution by seizing Morelos.

1925 – José Vasconcelos publishes *La Raza Cósmica,* a book positing the rise of a "fifth race" in Mexico.

1943 – Actor Arturo de Córdova, born and raised in the Yucatán, stars in the American film *For Whom the Bell Tolls.*

N. La otra frontera Read the following text written by journalist Jorge Colorado about the border between Mexico and Guatemala. Then, complete the activity that follows.

El sur de Chiapas es caliente, con una flora muy parecida a los países centroamericanos, uno parece que está en Centroamérica.

La frontera en este caso no es una línea imaginaria, la frontera es el río Suchiate. Ciudad Hidalgo es una ciudad caliente y un puesto fronterizo[1] entre Guatemala y México. Es una frontera popular, donde el único requisito[2] es dar 20 pesos y subirse a una balsa[3] para pasar de un país a otro, sin pasaportes, ni llenar un formulario, sin visa ni nada de eso.

Me dicen que día con día, desde hace más de 200 años la gente se ha pasado así de un lado del río a otro, antes que México y Guatemala se les ocurriera[4] formar estados modernos.

El paso[5] es rápido, en menos de 5 minutos uno está al otro lado. El sol y el calor parecen romperle a uno la cabeza. La gente no se detiene,[6] sube a las balsas, cajas, bolsas, niños, juguetes, verduras... lo que sea. El trajín[7] es constante y no se detiene, y por lo visto no se detendrá. Ese río es el inicio de la frontera sur.

---

[1] border place
[2] only requirement
[3] raft

[4] it occurred to them
[5] crossing
[6] *detener* – to stop
[7] coming and going

Read the following statements, and write the numbers next to the Spanish equivalents in the text.

1. The only requirement is to pay 20 pesos and get on a raft to cross from one country to another.

2. People load up the rafts with boxes, bags, children, toys and vegetables.

3. The river is the beginning of the southern border.

4. The south of Chiapas is similar to the countries of Central America.

5. The coming and going is constant and does not stop, and it looks like it will not stop.

6. People have crossed from one side of the river to another since before Mexico and Guatemala became modern states.

Río Usumacinta, Chiapas, MX

O. ¡A escribir!

Describe in Spanish several things that you have learned or remembered that you find particularly interesting about northern and southern Mexico. What one thing do you think others should know about these regions?

Lo que me interesa es...
He aprendido que...
Lo que se debe saber de México es...

1960 – Some Mexicans profit from the rise of beach resorts at Cancún and Acapulco while others object to Americanization.

1973 – President Miguel Alemán rolls back reforms benefitting poor farmers in the name of national economic growth.

1999 – Masked *Zapatistas* play a soccer game against ex-professionals in Mexico City, saying: "Even when we lose, we win."

Vocabulary 5.2

la frontera	border	**extraño/a**	strange, odd
la época	time, period	**fiel**	faithful, loyal
el juego	game	**gruñón(a)**	grumpy
la jungla	jungle	**paciente**	patient
la mezcla	mix, blend	**rebelde**	rebellious
el mono araña	spider monkey	**tranquilo/a**	calm
el otro lado	the other side	**acompañar**	to go with, accompany
la pared	wall	**durar**	to last
la pelota	ball	**encontrar** (ue)	to find
el platillo	dish	**extender** (ie)	to extend
la receta	recipe; prescription	**estar de vacaciones**	to be on vacation
las reglas	rules	**gritar**	to shout
la rueda	wheel	**inventar**	to make up, invent
el sabor	taste, flavor	**lograr**	to achieve
chistoso/a	funny	**preservar**	to preserve

5.2 Review adjective agreement

Reference *Gramática* 1.1b for the original introduction to adjective agreement.

A. ¿Ser o estar?   Correctly conjugate *ser* or *estar* to complete each sentence.

1. Tu cocina _____ muy grande.

2. Yo _____ muy bien gracias, ¿y tú?

3. Y ustedes, ¿de dónde _____ ?

4. Las flores _____ al lado de la mesa.

5. Mi amigo _____ bailando cumbia.

6. Mis hermanos y yo _____ altos.

7. Nosotros _____ de vacaciones en Guanajuato.

8. Mis compañeros _____ haciendo la tarea ahora mismo.

B. Adjetivos   Complete the following statements from the texts using the adjectives provided. Remember the adjectives must agree with the noun being described.

Modelo: Los pueblos de México son <u>pequeños</u> (pequeño) y <u>mágicos</u> (mágico).

1. Las calles son _____ (angosto) y _____ (limpio).

2. Las ciudades son _____ (grande) y _____ (pintoresco).

3. El juego es _____ (peligroso) y _____ (político).

4. Las culturas son _____ (antiguo) y _____ (desarrollado).

5. La vida es muy _____ (bueno) y _____ (tranquilo).

6. El mole lleva ingredientes que son _____ (mexicano) y _____ (europeo).

7. La comunidad está muy bien _____ (organizado) y _____ (avanzado).

C. Preguntas   Answer the following questions in complete sentences using at least two adjectives. Remember to check for adjective agreement!

Modelo: ¿Cómo es tu abuela? / Mi abuela es trabajadora y religiosa.

1. ¿Cómo son tus padres?

2. ¿Cómo es tu profesor(a) de español?

3. ¿Cómo son tus clases este semestre?

4. ¿Cómo es tu ciudad natal?

5. ¿Cómo es tu mejor amigo/a?

Fascinados por Monte Albán   Oaxaca, México

5.3 El Centro

Cultura: *La conquista*, Vasco de Quiroga, *Tortillas, Tacos, Birria*
Vocabulario: Terms for colonial Mexico
Gramática: Review verb + infinitive construction

A. Asociaciones   Write down your associations with central Mexico.

B. ¿Qué te vas a poner?   Look at the list of clothing items below and check the items you would wear for each occasion or to each place.

	playa	boda	clase	fin de semana	esquiar	reunión con tu profesor
jeans	☐	☐	☐	☐	☐	☐
traje de baño	☐	☐	☐	☐	☐	☐
camiseta	☐	☐	☐	☐	☐	☐
botas	☐	☐	☐	☐	☐	☐
vestido/traje	☐	☐	☐	☐	☐	☐
suéter	☐	☐	☐	☐	☐	☐
sandalias	☐	☐	☐	☐	☐	☐
pantalones cortos	☐	☐	☐	☐	☐	☐

C. Comparar   Get in pairs and use the previous activity to find out when your partner wears what.

¿Qué te pones cuando vas a…?   ¿Cuándo te pones unos jeans?
Cuando voy a…, me pongo…   Me pongo unos jeans cuando…

D. ¿Cuándo…?   Get in pairs and find out when your partner does the following:

estudiar español
desayunar
cenar
hacer ejercicio
pasar tiempo con amigos

a las siete de la mañana
los fines de semana
todos los domingos
por la tarde/noche

Guanajuato, MX

21,000 BC – Stone tools found in central Mexico show human civilization already present in the area.

1500 BC – The Olmecs begin cultivating the cacao plant and harvesting the cacao bean.

600 BC – Jade attracts the attention of Central Americans because its color is associated with life-giving water and colored maize.

E. El toque de México

Central Mexico is known for a number of colonial cities that represent, to many Mexicans, the essence of Mexico. Read the descriptions and complete the activity.

Elda (Querétaro, MX): Querétaro es muy bonito. Es una ciudad grande con más de un millón de personas aproximadamente. Es colonial y, a la vez, tiene su parte moderna. Es una ciudad donde hay todo tipo de niveles de gente, todo tipo de personas, desde niveles muy pobres, gente muy pobre que vive en la calle, hasta gente muy rica. Es una ciudad también donde hay mucha diversidad de eventos culturales. Se celebra la cultura en muchos aspectos como la música, conciertos, obras de teatro, cosas folklóricas de México, muchísimas actividades. Es una ciudad muy bonita que está creciendo, que sigue creciendo.

Querétaro, MX

María Luisa (Querétaro, MX): Me gusta Guanajuato porque es muy similar a Querétaro. Es un estado céntrico colonial que le da un sabor[1] especial a México. Muchos de los americanos que vienen aquí creen que han estado en México porque dicen, "Sí, yo he estado en Tijuana," ¿no? O en Cancún, que es como un Miami pequeño realmente. La verdad es que Tijuana y Cancún no tienen exactamente el toque[2] de México. Pero esta ciudad del centro, junto con su arquitectura, sus tradiciones, su gente, pues sí tienen más sabor a México; representan más a México.

---

[1] flavor

[2] essence

Choose one aspect mentioned by Elda and María Luisa that is similar to your hometown and one aspect that is different. Briefly describe why.

F. Nuestra ciudad

Work with a partner and create a list in Spanish of things that represent the essence of your college/ university town.

---

1 AD – Indians create colored drawings on the walls of caves and mountains that they worshipped as living beings.

200 – Average height of men in Teotihuacán is 5'3" and women is 4'9", and they live 35-40 years.

550 – Tombs of the rich and famous feature such luxuries as doors and meticulously carved stone panels.

G. Vasco de Quiroga

Vasco de Quiroga was the first bishop of Michoacán, New Spain. Trained as a lawyer and a judge, he is remembered for his dedication to the indigenous people of Michoacán. Read this text on his life and complete the activities that follow.

Después de la Conquista de México (1521), la vida cotidiana y laboral de los grupos indígenas fue difícil. La gran mayoría vivió una existencia servil, pues muchos de ellos fueron forzados a laborar en las haciendas y en las minas de oro y plata. Las condiciones de trabajo y el maltrato a los indígenas fueron tan brutales que varios religiosos españoles intervinieron[1] para defenderlos. Uno de ellos fue Vasco de Quiroga (≈1470-1565), quien como juez y obispo de Michoacán enfrentó y sentenció a varios españoles que abusaban de los indígenas.

Utilizando su propio dinero e influido por la *Utopía* de Thomas More, decidió ayudar a los indígenas, protegerlos y darles una vida mejor. Primero, organizó a todas las personas que vivían alrededor del lago de Pátzcuaro y las congregó en distintos pueblos para enseñarles maneras prácticas de administración política y económica. A cada comunidad le enseñó un oficio que podía usar dentro y fuera del pueblo, para la venta o el intercambio con otras comunidades. De esta manera, cada pueblo se convirtió en[2] el centro de una industria artesanal, teniendo su propio modelo de economía sostenible. Por ejemplo, en Santa

Ciudad de México, MX

Clara del Cobre, aprendieron[3] a hacer utensilios de cobre y en Tzintzuntzan, cerámica.

Los miembros de las comunidades siguieron y siguen practicando este valioso modelo de producción, trasmitido de generación en generación, demostrándole al mundo la funcionalidad y aplicabilidad de una utopía 500 años después. Los pueblos del lago de Pátzcuaro son el emblema del amor, compasión y arduo trabajo de Tata Vasco, un hombre que quiso dedicar[4] su vida a servir y ayudar a las comunidades indígenas de Michoacán.

---

1 *intervinieron* – intervened
2 *se convirtió en* – was turned into

3 *aprendieron* – they learned
4 *quiso dedicar* – wanted to dedicate

Write the number of each statement about Vasco de Quiroga next to its Spanish equivalent in the text.

1. *He taught the villagers a trade that they could use locally or regionally for trade with other villages.*

2. *He decided to help the indigenous people and provide them with a better life.*

3. *As judge and bishop, he confronted and sentenced many Spaniards who exploited the indigenous people.*

4. *He grouped them into different villages to teach them practical skills in administration, politics and economics.*

5. *The people from these villages continue to follow this valuable model of economic production.*

6. *Many of them were forced to work on ranches and in gold and silver mines.*

1300 – Tarascans begin expanding in Mexico and will be one of the few peoples to remain unconquered by the Aztecs.

1525 – The sudden loss of their religious leaders and buildings leads some Indians to turn to Catholicism.

1531 – The Virgin of Guadalupe appears to Juan Diego at a former Aztec temple, helping to fuse Catholicism and native religion.

H. Mi ciudad Answer the following question: *¿Es tu ciudad famosa por alguna industria o producto? ¿Cuál/Cuáles?*

I. El trabajo humanitario One goal that Vasco de Quiroga (and Spain) pursued was to convert the indigenous people of Mexico to Christianity. Grouping them in villages also made it easier for Spain to control them. Do these factors necessarily conflict with Quiroga's commitment to sustained social development? Pick one statement for each category that most closely expresses your views.

Pueblos

☐ El desarrollo de los pueblos fue algo positivo porque contribuyó a su progreso económico.

☐ Se deben crear oportunidades pero dejar[1] que la gente decida por sí misma.

☐ Construir pueblos sirve únicamente los intereses coloniales y es inaceptable.

[1] let; allow

Religión

☐ El desarrollo espiritual es una parte indispensable del trabajo humanitario.

☐ La iglesia puede presentar sus ideas pero debe dejar que la gente escoja[2] libremente.

☐ Imponer la religión en el trabajo es una violación a los derechos humanos.

[2] *escoger* – to choose

J. ¡Gracias!

GR 5.1b

Write three sentences in Spanish about someone who has personally helped you with something important.

Mis padres me han ayudado mucho. Ellos me han prestado su carro muchísimas veces. Ellos han pagado por mis estudios (y todavía los pagan).

Dolores Hildago, MX

1546 – Prospectors discover silver at Zacatecas.

1575 – Fray Bernardino de Sahagún receives Church permission to write a record of the Aztec lifestyle, religion and worldview.

1600 – Central Mexican natives number only 1,000,000, a decrease of 60-95% since a hundred years earlier.

K. Asociaciones   Write down at least two things you associate with each of the following cities.

Guadalajara

Puebla

Querétaro

Guanajuato

Morelia

Puebla, MX

L. Deportes

GR 4.3b

In groups of 4-5, choose a sport you feel best fits each of the following descriptions. Write the name of the sport in Spanish.

1. más peligroso

2. menos peligroso

3. más difícil

4. más fácil

5. más divertido

6. menos divertido

7. que me gusta mirar

8. que me gusta jugar

M. Preguntas   Answer the following questions in complete sentences. Remember to use the present perfect tense.

GR 5.1b

1. ¿Qué deportes has practicado este semestre?

2. ¿Qué grupo y música has escuchado recientemente?

3. ¿Qué película has visto últimamente?

4. ¿Quién te ha llamado recientemente?

5. ¿Qué has comprado últimamente?

N. Entrevista   Ask a classmate the same questions from the previous activity and write your partner's responses here.

1650 – Mexico's landscape visibly changes as the Spanish begin deforestation in a quest for other natural resources.

1724 – The viceroy founds the first convent for Indian women, but it only accepts full-blooded, noble Indian women.

1750 – New Spain's population of 7 million strains government capacities as well as food and water supplies.

O. El Centro   Central Mexico is varied in terms of culture and climate. Read what Michelle and Elda have to say about it and complete the activities.

Michelle (Querétaro, MX): El centro del país es un poquito más especial, pues hay muchas industrias pero también está lleno de cultura. El centro parece ser una mezcla entre la cultura del norte, la que ya está muy influenciada por los Estados Unidos, y la cultura del sur que todavía mantiene las raíces.[1] Tienes acceso a un estilo de vida muy cosmopolita, con gente que le encantan los museos y teatros o a uno menos urbano, con gente más sencilla que prefiere los parques y lugares más tradicionales. En el centro ves un poquito de todo y puedes encontrar prácticamente todo lo que busques, en cuanto a música, comida, cultura, de todo.

Elda (Querétaro, MX): Es muy bonito y ofrece un paisaje único, especialmente cuando uno va subiendo la sierra y ves todos los pueblitos que forman parte del escenario natural de la zona. También es muy interesante ver el cambio de vegetación que va de lo desértico a lo boscoso[2] e incluso hasta lo selvático[3] en algunas partes de la sierra. Sin embargo, el bajío[4] es algo más plano. Entonces, yo diría que el centro tiene un poquito de todo, incluyendo la variedad del clima.

---
[1] roots
[2] wooded
[3] jungle
[4] central lowlands

1. *Underline three words or phrases from the text that interest you the most. Be prepared to explain why.*

2. *Find at least three contrasts mentioned in the texts and write them below.*

3. *Like English, Spanish often uses related words for nouns and adjectives describing the same thing. Using your keen mind, memory, dictionary or other sources (including the texts), fill in the blanks with the appropriate related Spanish term.*

Nouns	Adjectives
desierto	desértico
	selvático
bosque	
	mezclado
	industrial

Guanajuato, MX

P. Un poco de todo   Describe a city or region in your home culture that has *'un poco de todo.'* What does it have? What regions are those things from? Write three words or phrases.

1811 – The execution of Father Miguel Hidalgo inspires more Mexicans to rebel against Spain.

1821 – A conflict sparked by a fight over a coin on the ground highlights tensions between Mexicans and Spaniards.

1867 – Austrian-born, French-backed, Mexican emperor Maximiliano I is shot in Querétaro after a short reign of three years.

Q. La tortilla   Read the following text about the history of the tortilla and answer the questions that follow.

GR 5.1b

El origen de la tortilla se remonta antes del año 500 AC (antes de Cristo). Los aztecas lograron formar su imperio gracias a la tortilla. Esta importante civilización cultivó frijol, tomate y chile, pero el producto principal y la base de su dieta fue el maíz. La tortilla les permitió caminar largas distancias, ya que era una forma práctica de cargar comida. Algunos piensan que existe un paralelo entre la forma circular de la tortilla y Huitzilopochtli, dios supremo, del sol y de la guerra.

Cada cultura prehispánica ha llamado a este alimento[1] de maíz de forma diferente. Los aztecas en náhuatl lo llamaron *tlaxcalli* y los mayas *waaj*. Pero las tortillas han obtenido su nombre de los españoles. La palabra "tortilla" viene de la palabra en español "torta."[2]

Hoy la tortilla es parte de la dieta de los astronautas. Es preparada para misiones espaciales, pues la prefieren sobre el pan tostado porque produce menos migajas[3] que terminan flotando en la nave.[4]

[1] food, nourishment
[2] round cake
[3] crumbs
[4] spaceship

Underline the uses of the present perfect tense in the text.

1. ¿Hace cuántos años existe la tortilla?

2. ¿Cómo ayudó la tortilla a los aztecas?

3. ¿Cuál es la semejanza entre la tortilla y el dios del sol?

4. ¿De dónde viene la palabra tortilla?

5. ¿Qué otros alimentos pueden llevar los astronautas?

R. Entrevista   Below is an interview to do with a partner. Create an additional question. Then, interview a classmate and write your partner's responses in complete sentences on a separate sheet of paper.

1. ¿Cuál es tu comida mexicana favorita?

2. ¿Prefieres tortillas de maíz o de harina?

3. ¿Qué comes cuando vuelas o acampas?

4. ¿Has soñado con ser astronauta?

5. ¿Qué significa tu nombre?

6. _____

1900 – Land reforms reduce independent farmers' holdings to 2% from 25% before the Díaz presidency. Foreigners hold 31%.

1927 – New government supports unions and land seizures to create social democracy. U.S. politicians dub it "Soviet Mexico."

1942 – Mexico fears Japanese invasion. Armed forces patrol along coast and participate in many Pacific battles.

S. Tacos mexicanos What is considered to be Mexican food abroad does not always match exactly with what Mexicans may consider common. Read the following description of Mexican food and answer the questions.

Para muchos mexicanos, un sábado o domingo por la noche, después del cine o la disco, es casi de ley pasar a comer unos taquitos en el puestecito de la esquina. Sí, esos taquitos que no se cocinan en casa porque saben mejor en la calle. Se trata de los tacos de cabeza, de sesos, de lengua, de cachetes o de tripas[1] de res; ingredientes con olor único que hacen a 15 personas juntarse alrededor de un mini carrito como de *hot dogs*, pero que en lugar de salchichas y pan, tiene la cabeza de la vaca y muchas tortillas. Estos puestecitos y esta tradición son parte inherente de la cultura y dieta mexicanas y han estado presente por décadas y pasado por muchas generaciones.

[1] *tripas* – intestine

Por las noches en todo México, es realmente normal observar a la gente con un platito en la mano disfrutando de modo envidiable sus taquitos, acompañados de cilantro, cebolla y salsa verde o roja.

Ahora, en el estado de México, hay lugares donde ofrecen tacos o quesadillas de escamoles,[2] los que son una delicia aunque se trate de los huevos de las hormigas[3] que se encuentran en el agave (la planta del tequila) o en maguey (la planta del mezcal). Quizás estos platos no lleguen a los recetarios comercializados de "comida mexicana" pero, para muchos mexicanos, son una deliciosa tradición que nunca pasará de moda.

[2] *escamoles* – ant eggs
[3] *hormigas* – ants

1. ¿Qué es un puestecito?

2. ¿Por qué no se preparan esos tacos en casa?

3. ¿Dónde se comen esos tacos?

4. ¿Cuál es el plato o la bebida más extraño que has probado?

T. ¡A escribir!

Food tastes (i.e., what is considered delicious and what is considered disgusting) are very strongly culturally learned. Describe some foods from your culture that are considered very good but which visitors from different cultures might not like very much.

Los Mochis, MX

1946 – Pasqual brothers try to create baseball league, but U.S. team owners ban players going to Mexico, killing the league.

1971 – Toluca rock 'n' roll festival features drugs, nudity, American flag. Concerts are censored, foreign bands banned from touring until 1991.

1992 – *The Simpsons* attains moderate popularity in Mexico in a sign of the Americanization of Mexico.

Vocabulary 5.3

el alimento	food	**fácil**	easy
el bajío	central lowlands	**recientemente**	recently
el desarrollo	development	**contribuir**	to contribute
el dios	god	**crear**	to create
el escenario	setting	**crecer**	to grow
la esquina	corner	**decidir**	to decide
el estilo de vida	lifestyle	**demostrar** (ue)	to demonstrate
el juez	judge	**escoger**	to choose
el obispo	bishop	**imponer**	to impose
el oficio	trade	**permitir**	to allow, permit
la palabra	word	**preparar**	to prepare
la sierra	mountains	**prestar**	to lend
el toque	essence	**producir**	to produce, make
la vida cotidiana	everyday life	**seguir** (i, i)	to follow, continue
difícil	difficult	**soñar** (ue) **(con)**	to dream (about)

5.3 Review verb + infinitive construction

Reference *Gramática* 2.4a for the original introduction to the verb + infinitive construction.

A. Conjugaciones   Correctly conjugate the verbs provided in parentheses. Then underline the infinitives that follow these verbs.

1. Después de la clase hoy, yo _____ (deber) hacer la tarea para mañana.

2. Mis amigos _____ (querer) cenar en el restaurante japonés.

3. Mi compañero y yo _____ (tener) ganas de estudiar en un café.

4. El profesor _____ (necesitar) preparar el examen para la clase.

5. ¿_____ (Poder) ir Mateo con nosotros al cine esta noche?

B. Según los textos   Complete the following statements based on the texts in this *tema*. Use each verb + infinitive construction provided only once. Look carefully at the subject of each sentence!

decidió ayudar	prefieren comer	quieren comprar
empezó a ser	puedes encontrar	suele tener

1. La ciudad de Querétaro _____ muchos eventos culturales.

2. La vida de los indígenas _____ difícil después de la conquista.

3. Vasco de Quiroga _____ a los indígenas para darles una vida mejor.

4. En centro México tú _____ una mezcla entre la cultura del norte y del sur.

5. Los astronautas _____ tortilla sobre el pan tostado.

6. Los domingos muchos mexicanos _____ unos taquitos en el puestecito.

C. Preguntas   Answer the following questions using the verb + infinitive construction.

1. ¿Qué tienes que hacer hoy?

2. ¿Qué tienes ganas de hacer mañana?

3. ¿Qué sueles hacer los fines de semana?

4. ¿Qué debe hacer tu profesor(a) de español?

Vista panorámica   Guanajuato, México

5.4 Ciudad de México

Culture: Life in CDMX, *Creencias en México, El mestizaje*
Vocabulario: City life, History of *Ciudad de México*
Gramática: Review verb + infinitive construction

A. Asociaciones   Write down your associations with Mexico City *(CDMX)*.

B. ¿Cuántas?   Work with a partner and ask questions about quantity.

1. ¿Cuántas clases tomas cada semestre/trimestre?
2. ¿Cuántos correos electrónicos recibes diariamente?
3. ¿Cuántos mensajes de texto mandas cada día?
4. ¿Cuántas horas estudias a la semana?
5. ¿Cuántas veces al mes hablas con tus padres?
6. ¿Cuántas personas viven en tu casa/apartamento?
7. ¿Cuántos profesores extranjeros tienes este semestre?

> For centuries, Mexico City was known in Spanish as *México Distrito Federal (el D.F.)*. In 2016, the name officially changed to *la Ciudad de México*, but you may still see some references to *el D.F.* as people get used to the name change.

C. Mensajes de texto   Work with a partner to decipher the following text messages. Then practice writing text messages to each other.

1.	kntm	a.	te quiero mucho
2.	tb	b.	fin de semana
3.	fsta	c.	¿Qué haces?
4.	100pre	d.	también
5.	q tal?	e.	dedos
6.	nph	f.	siempre
7.	m1ml	g.	cuando
8.	d2	h.	tengo que irme
9.	tqm	i.	fiesta
10.	l100to	j.	¿Qué tal?
11.	kbza	k.	mándame un mensaje luego
12.	tqi	l.	cuéntame
13.	qando	m.	cabeza
14.	finde	n.	lo siento
15.	q acs?	o.	no puedo hablar

Ciudad de México, MX

12,500 - 10,000 BC – Mammoth remains suggest a human presence around the area that would become Mexico City.

1500 BC – Permanent villages appear along the shores of Lake Texcoco.

700 BC – Cuicuilco begins a long reign as the most stable city in the Valley of Mexico.

D. Más mexicano

Jorge (Monterrey), Renata (Veracruz), Ramses (Querétaro) and Gabriela (CDMX) respond to some questions. First, circle the item in each pair below that seems most 'Mexican' to you. Then read the texts and answer the questions below.

pulque o tequila

tortillas de maíz o de harina

chocolate o Dos Equis

mole o enchiladas

Cancún o Ciudad de México

¿Qué es más mexicano, pulque o tequila?

Renata: Los dos. Uno es más comercial que el otro. El pulque es mucho más antiguo que el tequila, ya que era consumido por los Aztecas.

Ramses: Tequila, es mucho más conocido a nivel nacional e internacional. No importa la clase social, la gente conoce tequila.

¿Qué es más mexicano, las tortillas de harina o de maíz?

Ramses: Depende. En el centro y sur, tortilla de maíz; en el norte, tortilla de harina.

Gabriela: Debería decir de maíz, en el centro y sur de México se comen de maíz, pero secretamente, ¡prefiero las de harina!

¿Qué es más mexicano, chocolate o Dos Equis?

Jorge: El chocolate es mucho más mexicano que Dos Equis. El chocolate tiene siglos que se consume en México, desde antes de la época de la colonia ya era consumido por los Aztecas.

Renata: Los dos. La cerveza es un producto reciente y muy comercializado. El cacao era la bebida de los reyes aztecas.

¿Qué es más mexicano, mole o enchiladas?

Ramses: Enchiladas, por su practicidad son más populares como antojitos mexicanos y se venden

Mole, Puebla, MX

en cualquier feria[1] en las calles.

Renata: Los dos, porque son platillos que se consumen en todo México todo el tiempo.

¿Qué es más mexicano, Cancún o la Ciudad de México?

Jorge: Hablando en términos históricos, yo diría que la Ciudad de México es mucho más mexicano. La Ciudad de México fue fundado en lo que antes era la capital del imperio Azteca y es muy antigua.

Gabriela: ¡La Ciudad de México! Aunque recientemente muchos familiares míos se mudaron[2] a Cancún. Es una ciudad padre[3] también para locales.

---

[1] carnival
[2] *mudarse* – to move (house)
[3] cool (in Mexico)

1. *Whose answers seem to be most proper and informed?*

2. *Who has a hard time deciding?*

3. *Who bucks Mexican tradition?*

E. ¿Qué es mas típico de...?

With a partner, create on a separate piece of paper a four-item quiz about what is most typical about your college/university or the town/region it is located in. Exchange quizzes and take the quiz you receive together, noting your answers and preparing to explain your opinion in simple Spanish.

---

150 BC – The Xitle volcano buries much of Cuicuilco, forcing a retreat to the northern side of the lake where the next great city of the area, Teotihuacán, booms.

500 AD – Teotihuacán is estimated to be among the largest cities in the world, with a population of 200,000.

1324 – The Mexica tribe settle a generally undesirable island, Tenochtitlán, after receiving a sign from the gods.

F. Paisaje urbano   Carolina (Toluca, MX) describes various parts of Mexico City. Read her text and complete the activity.

En la ciudad de México tienes todo, tienes cultura, tienes diversión y puedes ir a hacer tus compras. Allí encuentras todo, los siete colores del arco,[1] todos los extremos, desde la riqueza más grande hasta la pobreza más triste.

El área comercial es la parte más interesante porque la ciudad de México está tan centralizada que allí consigues todo de cualquier parte del mundo. Ir al mercado La Merced es increíble. Es enorme y la variedad de cosas que ves es innumerable – lo que quieras lo encuentras allí. Después tienes lo que se llama Tepito, que está en la parte de atrás del Zócalo, donde consigues lo que en México conocemos como fayuca[2] a muy buen precio, porque no pagas impuestos.[3] La gente allí evade impuestos, pero encuentras la misma calidad que en la tienda y más barato. Y por supuesto están los centros comerciales para lo que quieras ir a comprar. Lo que aquí en EE.UU. le llaman *mall*, allá se llaman plazas, y son casi iguales porque están muy americanizadas, muy elegantes y muy caras.

En la capital hay también una cantidad innumerable de museos bellísimos. Está el

[1] rainbow; arch
[2] counterfeit brands; knockoffs
[3] tax; duty

Museo Nacional de Antropología, Ciudad de México, MX

Museo de Antropología; necesitas dos días para recorrerlo y aún así te quedas corto. Está la UNAM, esa universidad es enorme, es una ciudad adentro de la ciudad. Después tienes el Palacio de Bellas Artes, lleno de tanto lujo y tanto mármol y oro, increíble. Allí es donde empiezas a ver la riqueza de la ciudad. Luego te vas a la parte de Las Lomas, las casas son mansiones, son las casas más bellas.

1. Escribe dos asociaciones para cada área comercial que describe Carolina.

2. ¿Qué área comercial quieres visitar? Explica.

3. ¿Qué museo o lugar de la capital quieres visitar? Explica.

4. Describe brevemente dos áreas o lugares interesantes de una ciudad grande que tú conoces.

1427 – The Aztec Empire begins with the formation of the Triple Alliance between the Mexica, Tlacopan and Texcoco.

1520 – After a hostage situation in Tenochtitlán, Cortés and his allies kill Emperor Moctezuma II, his children and many nobles.

1537 – The pope denounces enslavement of Indians because they are "truly men" who had never heard the Gospel before.

G. Creencias y fe en México   Read the text below and complete the activities that follow.

¿Sabías que la mayoría de los mexicanos no toma ninguna bebida fría o come helado si tiene un resfriado[1] o tos?[2] Éstas son algunas creencias populares que han existido por siglos en México y que inician con los médicos tradicionales o curanderos.[3] Los curanderos afirman que una enfermedad "fría" se cura con remedios "calientes," razón por la que en estos casos la gente sólo toma agua "al tiempo."[4]

Otra creencia común en México es la de no tomar nada dulce después de asustarse[5] mucho porque esto puede provocar diabetes. Para algunos mexicanos, el susto[6] es una enfermedad seria que ocurre cuando hay espíritus malos cerca de una persona y que quieren controlar su alma[7]

y su cuerpo. En este proceso, la persona afectada desarrolla una serie de síntomas como insomnio, náusea, pérdida de peso, cansancio extremo y susto continuo. El remedio más efectivo para el problema, según la medicina tradicional, es una limpia[8] con un buen curandero.

Sin embargo, para algunos mexicanos la respuesta no está en el curandero, sino en los santos católicos y en los milagritos, unas figuritas diminutas metálicas en forma de persona, parte del cuerpo (manos, pies, ojos, etc.) u órgano (estómago, pulmones, corazón, etc.) que se venden en las iglesias para que la gente le pida a su santo preferido un milagro.[9] El milagrito se lleva a la iglesia, se pone junto al santo elegido, se reza y se le pide el "milagro," y a cambio del[10] milagro se ofrece un sacrificio personal.

---

1   cold
2   cough
3   medicine man; witch-doctor
4   room temperature
5   to be frightened; to panic
6   fear, terror
7   soul

8   cleansing
9   miracle
10   in exchange for

1. ¿Por qué algunos mexicanos no toman agua fría cuando tienen un resfriado?

2. ¿Qué evitan después de asustarse?

3. ¿Qué hacen con el milagrito?

Estas creencias son algunos ejemplos del sincretismo, la mezcla de elementos religiosos, culinarios, lingüísticos y musicales entre dos o más culturas que dan origen a una cultura nueva, híbrida. ¿Hay creencias similares en tu cultura? ¿Cuáles?

Pátzcuaro, MX

1551 – The Royal and Pontifical University of Mexico is founded almost a hundred years before Harvard University opens in 1636.

1571 – The Inquisition arrives in the Americas and will remain there for another 250 years.

1605 – The Spanish begin building the first channels and canals to drain Mexico City of its many lakes.

H. Asociaciones   Write down at least two things you associate with each region of Mexico City.

Centro Histórico

Coyoacán

Tepito

Xochimilco

La Condesa

El Ángel, Ciudad de México, MX

I. Entrevista   Interview two classmates and write the responses below.

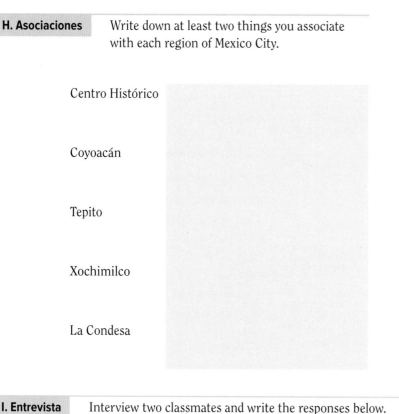

	Compañero/a #1	Compañero/a #2
1. ¿Cuál es tu bebida preferida?		
2. ¿Con qué frecuencia tomas agua embotellada?		
3. ¿Qué has comido que es muy dulce?		
4. ¿Cuándo sueles cocinar?		
5. ¿Cuándo te gusta salir con tus amigos?		
6. ¿Dónde prefieres cenar los fines de semana?		
7. ¿Adónde vas después de la clase de español?		

1634 – Spain orders all trade between New Spain and Peru to detour through a European Spanish port in order to collect tariffs.

1695 – Sor Juana, one of Mexico's great poets and an early feminist, dies.

1740 – The *casta* system and paintings, in which people are labeled by their specific racial makeup, enters its heyday.

J. Impresiones Read the following opinions about Mexico City and complete the activities.

Beatriz (Aguascalientes, MX): Yo creo que es una ciudad que tiene todo. Tiene partes turísticas, partes industriales, partes culturales, partes muy bonitas, partes muy feas. Desde mi punto de vista es una ciudad hermosa, algo contaminada, pero es una ciudad hermosa.

Carlos (CDMX, MX): Pues para mí, como ya estaba acostumbrado allá se me hacía pues normal, ¿verdad? Pero si tienes que ir a algún lugar, necesitas salir más temprano por el tráfico. Toda la gente también vive muy a la carrera y puedes ponerte de malas[1] muy fácil por el ruido y todas esas cosas.

Rocío (Querétaro, MX): No me gusta porque es sumamente violento, contaminado, sucio. La verdad es que no me gusta, en cuanto pienso que tengo que ir a México me estreso muchísimo, y si voy, es exclusivamente a la casa de mi papá y prácticamente él va por mí a la Central y me lleva a su casa porque no me atrevo[2] a andar en metro ni nada de eso.

---

[1] to feel bad
[2] *atreverse* – to dare

Torre Latinoamericana, Ciudad de México, MX

María Eva (CDMX, MX): Pues es muy grande, hay muchísima gente, tanta gente que te pones mal, ¿verdad? Porque no sabes ni para dónde jalar.[3] Hay tantas personas que parecen hormiguitas.[4] Aunque hay muchísima gente, está bonito, hay lugares muy preciosos.

---

[3] to get away from
[4] *la hormiga* – ant

Asociaciones positivas

Asociaciones negativas

¿Qué ciudad conoces que es muy similar a la Ciudad de México? ¿En qué sentido es similar?

1804 – Spain creates tension with the Church and its colonies by ordering New Spain to extract money from Church holdings.

1824 – Mexico gains British recognition of its independence but also accepts loans it cannot pay back, ruining its credit.

1864 – French bakers, during the occupation, use Mexican ingredients to create iconic Mexican sweet breads and *bolillo*, a white bread with a crunchy crust.

K. El mestizaje

Multiculturalism is an important topic globally, and Mexico is no exception. The term *mestizaje* translates roughly as 'race-mixing' and has been used historically in the context of colonialism in Latin America. Read the text on this complicated topic and complete the activities that follow.

Danzante azteca, Ciudad de México, MX

Los mexicanos se sienten orgullosos de ser mestizos; lo que para ellos significa llevar sangre europea e indígena, aunque para completar este cuadro[1] hay que añadir también la sangre africana de los esclavos traídos por los españoles a las costas de Veracruz y Guerrero. El mexicano celebra su mestizaje en momentos significativos de la historia nacional y religiosa del país. Por ejemplo, conmemora su herencia española el 15 de septiembre, la noche mexicana, cuando rinde homenaje[2] a los héroes criollos (descendientes de españoles) que murieron por la Independencia de México. Por otra parte, el 12 de diciembre festeja el día de la Virgen de Guadalupe, la Virgen morena, quien se apareció al indio San Juan Diego como muestra de su amor y protección a los indígenas 10 años después de la derrota[3] del imperio Azteca. Por eso, se considera "la madre de los mexicanos," y las personas aprovechan esta fiesta para vestir a sus niños como "inditos" para que los cuide y proteja.

Irónicamente, y al igual que en otros países, la vida diaria no refleja esta celebración de diversidad racial. Estudios recientes muestran que más de la mitad de los mexicanos cree que son discriminados por ser morenos o por ser indígenas. La preferencia por un color más claro de piel sin duda tiene su origen en el sistema de castas colonial (desde México a Argentina, incluyendo a Brasil), el cual asignaba un valor social superior o inferior a las personas,

dependiendo de su cantidad de sangre europea, indígena o africana. Desafortunadamente, el hecho de que estas prácticas culturales todavía continúan existiendo hace la vida muy difícil y frustrante para muchos mexicanos. Por ejemplo, la mayoría de los líderes políticos y empresariales,[4] así como los integrantes de los medios de comunicación, tienen la piel mucho más clara; mientras que estados con una población mayoritariamente indígena, como Oaxaca y Chiapas, son los que tienen los índices de pobreza más altos en México. Pese a estas actitudes aparentemente irreconciliables, el mexicano, como el estadounidense, celebra sus raíces multiculturales y a las figuras que han sentado un precedente en la historia nacional, como Benito Juárez, un indígena de Oaxaca, quien, al igual que Barack Obama, fue el primer presidente no blanco en la historia de México.

---

[1]   picture
[2]   *rendir homenaje* – to honor, pay homage
[3]   defeat

[4]   business owners

1. ¿Cuáles son los componentes principales de la mezcla?

2. ¿Cómo se celebra la contribución española?

3. ¿Qué importancia tiene el Día de la Virgen de Guadalupe?

1875 – A roller skating craze hits Mexico City, as people skate to orchestral music while riding on wooden wheels.

1910 – Porfirian reforms favor urban dwellers, with over half the population of Mexico City being literate by 1910.

1940 – Some extreme Mexican conservatives contact Franco, hoping to reintegrate Mexico into a Spanish empire.

4. ¿Cómo se siente la mayoría de los mexicanos hoy en día?

5. ¿Cuál es una causa histórica de esta discriminación?

6. ¿Cómo son semejantes Benito Juárez y Barack Obama?

Explica la historia y la ironía actual del mestizaje mexicano en tus propias palabras.

¿Existe la idea del mestizaje en tu cultura? Compara tu cultura con la mexicana en dos o tres oraciones.

L. ¡A escribir!

We are all a *mezcla* in some ways of various ethnic, social, cultural and religious groups. What have you inherited from your parents and grandparents? What do you appreciate about the strengths of your unique "mix"?

Mis abuelos maternos/paternos eran de Alemania.
Mi mamá era católica, pero ahora es bautista.
Yo crecí en la tradición cristiana, pero soy budista.
Mi papá es español, mi mamá es mexicana y yo nací en Canadá.
En mi casa hablamos inglés, español y a veces francés.
Durante la semana comemos comida de México, España y los EE.UU.

M. Reflexiones

Has your view of Mexico and Mexicans changed during this course? Describe what it used to be and how it may have changed or been reaffirmed. What are the key things you feel someone from your culture should know about Mexico and why? You may write this in English!

Ciudad de México, MX

1968 – Mexico City overflows onto the world's headlines with a massacre, a new subway system and the summer Olympics.

1992 – The Vatican and Mexico officially reestablish diplomatic relations more than 130 years after they were severed.

2010 – Mexico City is recognized as the second most populated city in the world and the first in population density.

Vocabulary 5.4

el alma	soul	**la sangre**	blood
el antojito	appetizer	**el santo**	saint
la creencia	belief	**el sentido**	sense
el/la curandero/a	medicine man, witch doctor	**la variedad**	variety
la derrota	defeat	**orgulloso/a**	proud
la discriminación	discrimination	**peligroso**	dangerous
la fe	faith	**a la carrera**	in a hurry
la harina	flour	**añadir**	to add
el impuesto	tax	**asustar**	to frighten
el maíz	corn	**atreverse**	to dare
el milagro	miracle	**establecer**	to establish
la mitad	half	**evitar**	to avoid
la parte	part	**explicar**	to explain
la piel	skin	**recorrer**	to cover distance; to travel
el remedio	remedy, cure	**reflejar**	to reflect

Review of comparisons and superlatives

Reference *Gramática* 2.2a, 2.2b and 4.3b for the original introductions to comparisons and superlatives.

A. Identificar   Complete the following statements by conjugating the verb *tener* in the blanks provided.

Comparativos de desigualdad:

1. El pulque es _____ (*more ancient than*) el tequila.

2. Cancún es _____ (*less Mexican than*) la Ciudad de México.

Comparativos de igualdad:

3. Los centros comerciales son _____ (*as elegant as*) los de EE.UU.

4. El mexicano es _____ (*as European as*) indígena por ser mestizo.

Superlativos:

5. La zona _____ (*most interesting*) de la capital es el área comercial.

6. Las casas _____ (*largest*) de la capital son las casas de Las Lomas.

B. Preguntas   Answer the following questions in complete sentences.

1. ¿Cuántas clases vas a tomar el próximo semestre?

2. ¿A quién le mandas mensajes de texto cada día?

3. En tu opinión, ¿qué es más americano de los Estados Unidos?

4. ¿Quién de tu familia es la persona más religiosa?

Murales de Diego Rivera en el Palacio Nacional Ciudad de México, México

Unit 5: México

Cultural and Communication Goals

This sheet lists the communication goals and key cultural concepts presented in Unit 5 *México*. Make sure to look them over and check the knowledge and skills you have developed. The cultural information is found primarily on the website, though much is developed and practiced in the print *cuaderno* as well.

I can:

☐   talk about the past using the *presente perfecto*

☐   compare regions in Mexico with my home region

☐   remember and do pretty much everything from units 1–4

I can explain:

☐   basic physical terrain of northern Mexico

☐   associations with *norteñas*, the *Barranca del Cobre*, and the northern Mexican accent

☐   associations with the northern Mexican states and key cities

☐   Mexican associations with the US border

☐   a few interesting tidbits about Santa Anna

☐   associations with *rancheros*

☐   associations with *la zona del silencio*

☐   associations with *cabrito*

☐   basic physical terrain of southern Mexico

☐   southern associations with *selva, indígenas, religión, pobreza, Zapatistas* and the border with Guatemala

☐   several interesting things about *Yucatán*

☐   assocations with southern Mexicans and the Mayans

☐   several key southern Mexican cities

☐   several associations with Oaxaca

☐   what an *alebrije* is

☐   *mole*

☐   several key associations with central Mexico

☐   several key periods of Mexican history

☐   the contrasts between northern and southern Mexico

☐   several key central Mexican cities

☐   several interesting bits about Vasco de Quiroga and why he's interesting

☐   the history of the *tortilla*

☐   few unusual Mexican foods

☐   several key associations with Mexico City

☐   several key cultural sites in Mexico City

☐   the history of Mexico City

☐   several *zonas* in Mexico City

☐   a few things about religious belief in Mexico

☐   the term *mestizaje* and how it relates to Mexico

☐   several interesting things I have learned about Mexico in a convincing and thoughtful manner